COLLECTIO

David Foenkinos

Deux sœurs

Gallimard

David Foenkinos est l'auteur de plusieurs romans dont *Le potentiel érotique de ma femme*, *Nos séparations*, *Les souvenirs*, *Je vais mieux* et *Vers la beauté*. *La délicatesse*, paru en 2009, a obtenu dix prix littéraires. En 2011, David Foenkinos et son frère Stéphane l'ont adapté au cinéma avec Audrey Tautou et François Damiens. Ils ont également réalisé le film *Jalouse*, avec Karin Viard. En 2014, *Charlotte* a été couronné par les prix Renaudot et Goncourt des lycéens. *Le mystère Henri Pick*, publié en 2016, a été porté à l'écran par Rémi Bezançon, avec Fabrice Luchini et Camille Cottin. Les romans de David Foenkinos sont traduits dans plus de quarante langues.

PREMIÈRE PARTIE

1

Au tout départ, Mathilde perçut quelque chose d'étrange sur le visage d'Étienne. C'est ainsi que l'histoire commença d'une manière presque anodine ; n'est-ce pas le fait de toutes les tragédies ?

2

Si on lui avait demandé de préciser ce *quelque chose*, elle aurait parlé d'un nuage sur le visage, sans vraiment savoir ce que cela voulait dire. Il existe tant de variations de nuages ; l'image est incertaine. Que voit-elle chez Étienne ? Une simple humeur sombre ou l'annonce d'un orage violent ? Il vaut mieux l'interroger :

« Tout va bien mon amour ?

— Non, je ne me sens pas bien *en ce moment.* »

Cela faisait cinq ans qu'elle le connaissait, et tout autant qu'elle l'aimait follement. Jamais elle ne l'avait entendu parler ainsi, exprimer froidement un mal-être. Déstabilisée, elle ne sut que répondre. Mathilde avait posé sa question comme ça, de cette façon légère avec laquelle on demande tout le temps aux gens comment ils vont, sans presque en attendre de réponse. Son impression était donc fondée. Elle trouvait Étienne étrange depuis quelques jours, comme absent de lui-même. Elle savait qu'il était stressé par son travail, qu'un nouveau patron exerçait sur lui une pression insoutenable ; mais bon, il était accoutumé à la brutalité professionnelle. Il avait connu des situations violentes sans jamais les rapporter le soir dans sa vie conjugale. Mathilde avait même toujours admiré son incroyable capacité à *faire la part des choses*. C'était une expression qui lui convenait si bien. Étienne adorait segmenter sa vie. Pour la première fois, Mathilde se posa la question de savoir où était sa place. Dans quel segment ? Elle avait comme un mauvais pressentiment. Celui d'avoir basculé dans une zone non affective ; une sorte de terrain vague qui préfigure le rejet.

3

Étienne demeura taciturne une grande partie de la soirée, sans vouloir en préciser la raison. Un supplice pour Mathilde. Elle devait respecter son choix, se disait-elle ; cela lui arrivait à elle aussi de se sentir mal, et de ne pas être en capacité de parler.

C'était d'ailleurs l'un de leurs points communs ; ils cicatrisaient par le silence.

Il lui fallait s'efforcer de le laisser dans son coin ruminer ce qui le tracassait ou le hantait, et simplement faire acte d'une présence bienveillante. Tout faire pour qu'il puisse lire dans son regard : « Je suis là si tu as besoin de moi. » Mais il venait d'éteindre la lumière de la chambre. Il passa pourtant la main dans le dos de Mathilde, avant de se retourner de son côté. Elle avait trouvé le geste froid, pour ne pas dire désincarné. Elle voulut rallumer, lui dire qu'elle ne pourrait jamais trouver le sommeil après une telle soirée, mais elle fut incapable de prononcer le moindre mot. Pour se rassurer, elle décida de voyager vers leurs souvenirs. Elle se dirigea mentalement vers les images de leur dernier été. Ils avaient passé deux semaines en Croatie, dont quelques jours sur une île quasiment déserte. Au cœur de ce paradis, ils avaient évoqué l'idée de se marier bientôt. Étienne se sentait prêt à avoir des enfants. Tout était si beau et si puissant ; on aurait dit que quelque chose d'éternel s'annonçait.

4

Le lendemain matin, Étienne n'était pas plus bavard. Il partit travailler un peu plus tôt que d'ordinaire, quittant l'appartement conjugal après avoir passé, une nouvelle fois, la main dans le dos de Mathilde. Un geste encore mécanique, qu'elle ressentit cette fois comme animé par une sorte de pitié. Elle lui avait lancé un sourire qu'elle espérait solaire, mais il avait si vite tourné la tête. Quand elle fut seule, elle eut envie d'une cigarette, mais elle n'en avait pas. Elle demeura un moment immobile, face à cette table du petit déjeuner qu'elle avait préparée avec soin. Elle y avait ajouté des touches de beauté discrète, en se disant qu'en rendant les choses belles tout irait peut-être mieux. Les yeux d'Étienne y étaient restés aveugles, il n'avait pas remarqué les quelques pétales roses sur la table. C'était un trait récurrent du caractère de Mathilde, cette façon de vouloir être positive et bienveillante ; si souvent, Étienne s'était réveillé émerveillé de partager ses jours avec une telle femme.

5

Mathilde n'était jamais arrivée en retard au lycée, elle avait la réputation d'être une professeure consciencieuse, aimant ses élèves *comme si c'étaient ses enfants*. Ces mots, un parent d'élève les avait véritablement prononcés lors d'un conseil de classe. Comme d'habitude, elle arriva à l'heure dans son établissement de la banlieue parisienne. Elle resta un instant dans sa voiture en se disant qu'il lui fallait chasser son désarroi avant d'affronter la vie sociale. Mais les mots d'Étienne la hantaient ; c'était juste une phrase, certes, mais qui prenait l'espace d'un roman russe dans son esprit. Elle s'observa dans le rétroviseur ; étrangement, il lui fallut quelques secondes pour se reconnaître.

Sortant enfin de sa voiture, elle croisa Monsieur Berthier sur le parking. Le proviseur était un homme long et fin, comme ceux qui tombent du ciel dans les toiles de Magritte. Il appréciait particulièrement Mathilde, et avait tout fait pour la retenir à la fin de l'année précédente, quand elle avait reçu la proposition d'un collège privé parisien ; elle avait finalement refusé cette offre qui paraissait très avantageuse. Par fidélité, par attachement envers ses élèves, et sans doute aussi parce qu'elle appréciait la bienveillance de l'homme qu'elle croisait maintenant. Pourtant, au moment où il lui adressa la parole, elle prétexta avoir oublié des affaires dans sa voiture. Une excuse pour éviter d'avoir à marcher quelques mètres en sa compagnie. Cette première conversation matinale était insurmontable.

6

Une fois devant sa classe, Mathilde se sentit en mesure de chasser son chagrin ; enfin non, ce n'était peut-être pas du chagrin, mais disons une inquiétude.

Au tout début du cours, elle échangea quelques mots avec Mateo dont le niveau scolaire avait chuté considérablement depuis le divorce de ses parents. Elle avait toujours un geste pour l'encourager, et restait parfois le soir un peu plus tard pour l'aider à améliorer sa compréhension des textes littéraires. Il fallait croire que cela payait car, ces derniers jours, il progressait nettement. Le destin de Mateo serait peut-être transformé par l'attitude de Mathilde ; il était trop tôt pour le savoir.

L'heure de français portait sur l'étude d'un passage de *L'Éducation sentimentale*. Chaque année, Mathilde aimait partager sa passion pour ce roman ; c'était, à ses yeux, le plus beau livre de Flaubert. Elle se souvenait l'avoir étudié au lycée, et cela avait changé sa vie : elle ne pourrait vivre désormais qu'en compagnie de la littérature. Ainsi était née sa vocation. Elle débuta la lecture du célèbre moment où Frédéric Moreau découvre pour la première fois Madame Arnoux ; c'est la naissance de la passion. Flaubert décrit ainsi le sentiment extatique du jeune homme : « Ce fut comme une apparition. » Mais en prononçant cette phrase Mathilde fut victime d'un lapsus et énonça : « Ce fut comme une disparition. »

7

Pendant la pause-déjeuner, elle alluma son téléphone. Elle avait fait exprès de ne pas le consulter pendant les interclasses pour se laisser plus de chances d'avoir un message. Elle attendit un peu, parfois cela ne captait pas très bien dans l'établissement, mais rien ne se produisit. Ce vide sur son écran la violenta profondément[1].

Sabine, la collègue avec qui elle s'entendait le mieux, sans pouvoir affirmer pour autant qu'elles étaient amies, l'attendait pour se rendre au réfectoire. Les deux femmes déjeunaient souvent ensemble ; des conversations entre passagères du même travail. Mathilde lui adressa un signe de la main qui voulait dire : « Ne m'attends pas. » Ou qui voulait dire : « Je te rejoins plus tard. » Ou qui voulait dire : « Je n'ai pas faim aujourd'hui. » On ne sait jamais vraiment ce que veut dire une main. Sabine comprit tout de même qu'elle devait aller seule à la cantine.

Mathilde resta un instant dans le couloir, face à son téléphone. Elle en voulait terriblement à Étienne de la laisser ainsi dans le silence. D'habitude, ils s'appelaient ou au moins se laissaient des messages plusieurs fois par jour ; en particulier quand ils s'étaient quittés en froid. Elle avait respecté son mal-être, mais venait un moment où l'on se devait, par amour ou par politesse, peu importe, de ne pas laisser l'autre dans l'incompréhension. Elle lui en voulait terriblement, et pourtant il ne lui fallut pas plus d'une minute pour changer d'état d'esprit et écrire : « Mon amour, je pense

1. Une souffrance moderne.

fort à toi. J'espère que tu te sens un peu mieux aujourd'hui. N'oublie pas que je suis là. J'ai si hâte de te retrouver ce soir. » L'après-midi, elle ralluma son téléphone à chaque interclasse, mais toujours rien, pas la moindre réponse, toujours cette violence en forme d'absence.

8

Le soir même, il mit enfin des mots sur ce qui le hantait. Il prononça assez fébrilement : « Je vais quitter l'appartement. » Mathilde ne comprenait pas très bien. C'était tordu ou maladroit. Pourquoi ne pas dire : « Je vais te quitter. » Il parlait de l'appartement comme pour rendre concrète cette situation qu'il n'arrivait pas à définir. Une rupture est toujours encombrée par le flou, les non-dits accumulés, et souvent des mensonges énoncés pour ne pas blesser. Ce fut elle qui dut le relancer pour obtenir des précisions, pour aller chercher les mots de la sentence qui la condamnerait :

« C'est-à-dire ? Tu veux qu'on vive dans deux endroits différents ?

— Non, ce n'est pas ça.

— Alors quoi ? Étienne, je t'en prie, parle-moi.

— C'est très difficile.

— Tu peux tout me dire.

— Je ne crois pas.

— Mais si.

— Je te quitte. Notre histoire est finie. »

Mathilde resta stupéfaite. Elle n'eut pas la force, dans un premier temps tout du moins, de prononcer un mot. Il s'avança vers elle, toujours pour accomplir ce même geste maudit de la main dans le dos ; c'était donc bien un geste de pitié. Elle le repoussa violemment, puis balbutia :

« Ce n'est pas possible. Ce n'est pas possible. Ce n'est pas possible.

— Je suis désolé.

— Cet été... on parlait de... tu voulais qu'on se marie.

— Je sais.

— Que s'est-il passé ?

— Rien. Je ressens les choses ainsi. C'est comme ça.

— Mais on n'a pas le droit de ne plus aimer comme ça. Ce n'est pas possible.

— ...

— Laisse-nous une chance, je t'en supplie.

— Ma décision est prise. Je vais aller vivre chez mon cousin en attendant de trouver un appartement. Tu peux rester ici.

— Rester ici ! Rester ici ! s'emporta enfin Mathilde. Mais c'est impossible ! Tu es partout ici. Partout. Partout. Je vais mourir ici. Tu crois que je peux dormir dans notre lit sans toi ? Tu crois ?

— Je ne sais pas. Je ne veux pas que ça soit compliqué pour toi, c'est tout.

— Ah bon ? Tu t'intéresses à ce que je ressens ? Vraiment ? Alors, explique-moi !

— Ce n'est pas toi…
— Ah non, pas cette routine de merde. Pas ça ! »

Elle s'effondra alors sur le canapé, comme tordue par la douleur. Étienne fut tétanisé par cette vision ; le visage en souffrance de Mathilde paraissait presque inhumain. Il finit par s'approcher ; elle le repoussa à nouveau, mais elle n'avait plus de force. Son corps ne semblait plus vraiment exister. Au bout d'une minute, ou peut-être plus, il était difficile de mesurer le temps, elle lui demanda de partir, de partir tout de suite, oui pars, pars tout de suite, elle répétait sans cesse cette injonction dans une litanie morbide. Il ne voulait pas la laisser, mais la violence de son regard était impitoyable. Il l'observa une dernière fois, droit dans les yeux, puis se décida à quitter l'appartement.

Quelques minutes plus tard, quand elle se rendit compte qu'elle se trouvait vraiment seule, elle lui envoya un message : « Je t'en supplie, ne fais pas ça, je vais mourir. »

9

Plus tard dans la soirée, alors qu'elle était toujours prostrée sur le canapé, Mathilde pensa : « Personne ne doit savoir. » Telle était son étrange logique : « Si personne ne sait, c'est que cela n'existe pas. » Elle pensait au lycée. Hors de question que

Sabine ou quiconque apprenne ce qui venait de se passer. Aux yeux du monde, Étienne l'avait pratiquement demandée en mariage l'été dernier en Croatie, alors ils allaient se marier. Elle lui envoya de nombreux messages tout au long de la nuit, allant de la demande d'explication à la supplication. Tous restèrent sans réponse, elle avait envie de se jeter par la fenêtre.

Vers minuit, elle était descendue boire du vin dans un bar. Jamais elle n'aurait imaginé que cela lui arriverait un jour, ce besoin irrépressible de s'enivrer pour abraser le caractère intolérable de la douleur. Un homme se mit à lui parler ; elle se dit qu'elle pourrait coucher avec lui puisqu'elle était seule maintenant. Enfin, pas coucher, mais s'offrir sans la moindre raison, à part peut-être celle de se salir, de fuir, ou de mourir. Elle finit par remonter chez elle, l'ivresse ne l'avait pas délivrée. La douleur qui s'emparait d'elle offrait à son corps une acuité sans faille. Le châtiment à venir serait celui de la lucidité la plus acide.

10

Le matin arriva comme une continuité à la nuit, et même : avec la couleur d'une autre nuit.

11

Elle prit une longue douche, comme si, en se lavant, en frottant activement son corps avec du savon, elle avait pu effacer ce qu'elle venait de vivre. Elle décida de jeter ses vêtements à la poubelle (une pulsion). Elle ne voulait plus jamais voir ces habits du jour où Étienne l'avait quittée. Elle avait exécuté tous ces gestes d'une manière mécanique et même un peu brutale, telle une guerrière. Mais elle était seule dans ce combat à mener ; il n'y avait personne en face ; elle attaquait une armée d'ombres.

12

En sortant de sa voiture sur le parking de l'établissement, elle croisa le proviseur. Comme chaque jour finalement. Au cœur de la vie qui s'effondre, tout demeure immuable, dans un ballet non soumis aux tragédies de chacun. Monsieur Berthier avait la même tête que tous les matins, et énonçait en souriant les agréables banalités de la routine. Mathilde joua le jeu du « Oui ça va très bien, et vous ? ». Elle se rendit compte à quel point il était facile de ne pas être soi ; elle avait imaginé que tout le monde lirait sur son visage son désarroi. Rien de tel, Berthier, comme tous les figurants de sa journée, ne constaterait rien de particulier. Cela accentuerait son malaise. Bien sûr, elle voulait ne rien montrer de ce qu'elle éprouvait, mais cette mascarade générale la propulserait dans l'évidence que nous sommes, quoi qu'il arrive, irrémédiablement seuls.

13

Comme la veille, Mateo l'attendait devant sa classe. Il lui tendit un paquet.

« C'est pour moi ? demanda Mathilde, bien que ce fût une évidence.

— Oui, mes parents voulaient vous remercier.

— Pour quoi ?

— Pour tout ce que vous avez fait pour moi.

— Je n'ai pas fait grand-chose.

— Ne dites pas ça, Madame. Vous m'avez soutenu, vous avez été si gentille avec moi.

— ...

— Alors, vous l'ouvrez votre cadeau ?

— Oui... »

Mathilde déchira doucement le papier d'emballage, comme pour ne pas l'abîmer. Elle découvrit alors un cadre doré.

« J'espère que ça vous plaît. Je l'ai choisi hier avec ma mère. Vous pourrez mettre la photo que vous voulez dedans.

— ...

— Ça vous plaît ?

— Oui. Merci Mateo. Cela me touche beaucoup… », dit Mathilde, sentant l'émotion monter en elle.

Elle observa le cadre vide, et la symbolique lui sauta au visage. C'était sa vie, sa nouvelle vie. Un cadre, avec rien dedans. C'était comme une atroce ironie du destin. Elle se mit à pleurer, des larmes puissantes, toutes les larmes retenues depuis la veille. En état de choc, ses yeux étaient restés secs. Voilà que sa souffrance jaillissait après la découverte d'un cadeau anodin. Mateo, interdit, finit par bégayer : « Ce… ce n'est qu'un cadre… » Mathilde le remercia en tentant de reprendre possession de ses émotions. Mais son visage semblait un royaume autonome et inondé, frappé par un déluge impossible à maîtriser.

Elle finit par entrer dans la classe, sous le regard surpris des élèves. Une jeune fille chuchota à une autre : « Elle doit être enceinte. Ma mère aussi, quand elle attendait ma sœur, elle pleurait tout le temps. Pour un oui, pour un non. »

14

Flaubert reprit le dessus, et la journée se déroula finalement à l'abri d'autres épanchements.

15

Le soir, Mathilde s'allongea sur le canapé ; hors de question de dormir dans la chambre. Elle n'avait pas mangé de la journée. Et toujours aucun message d'Étienne. Pire, certains de leurs proches lui avaient écrit. Il avait donc informé tout le monde. Probablement leur avait-il même demandé de prendre des nouvelles de la victime. C'était au-delà du pathétique. La sœur d'Étienne envoya le message suivant : « Mon frère m'a tout raconté. Je suis désolée. Je suis là pour toi, si tu as besoin de quoi que ce soit. Cela ne change rien à notre lien… » Bien sûr que cela changeait tout. Jamais Mathilde ne supporterait la présence de quiconque lui rappelant Étienne. En cinq ans, il avait contaminé tout son entourage. Elle ne pourrait plus voir personne ; elle perdait davantage que l'homme qu'elle aimait, elle perdait toute sa vie. Pour la première fois, elle ressentit une sorte de rage. L'envie de trouver des coupables à son désarroi. Une violence inédite la traversait, puis elle se calmait, puis cela revenait, et ainsi de suite. Son état faisait des allers-retours entre la hargne et le découragement. C'était épuisant, mais elle ne parvenait pas à dormir, comme condamnée à observer froidement sa chute.

16

Si seulement sa mère était encore vivante, elle aurait pu pleurer dans ses bras.

17

Mathilde pensait souvent à cette nuit du 12 octobre 2002. C'était deux semaines avant son anniversaire. Elle allait avoir quatorze ans. Il était tard ; étrangement, elle ne trouvait pas le sommeil. Elle entendait le souffle un peu fort de sa sœur qui dormait sur le lit supérieur. Agathe avait quinze ans ; l'écart d'âge était si minime entre les deux filles qu'il était difficile de savoir laquelle était l'aînée. On aurait presque pu croire qu'elles étaient jumelles.

C'est alors que Mathilde entendit le cri de sa mère. Un cri strident qui donne envie de mettre immédiatement ses mains sur les oreilles. Elle bondit hors du lit, mais s'arrêta avant de sortir de la chambre. Il y avait peut-être un intrus dans l'appartement, et sa mère avait hurlé pour les prévenir ; elle devait pousser au plus vite un meuble et le caler contre la porte. À l'époque, elle adorait regarder les émissions relatant les faits divers, et cela avait probablement conditionné l'apparition fugitive de ce scénario morbide. La situation était tout autre. Après le retentissement du cri, la nuit silencieuse avait repris son emprise. Plus aucun bruit ; sa mère était forcément seule. Mathilde finit par entendre faiblement une sorte de râle continu, en provenance de la chambre de ses parents. Elle se décida à y aller ; en marchant lentement, comme pour retarder la découverte qu'elle allait faire. Le cri résonnait encore en elle, accompagnant toutes sortes d'hypothèses. Derrière la porte, elle découvrit sa mère, suffocante, à même le sol, le visage noyé de larmes. Le téléphone était encore dans sa main. Cette image de la souffrance de sa mère la hanterait à jamais.

Quelques minutes plus tard, on sonnait à la porte. C'était sa tante qui était venue aussi vite que possible. Juste après avoir reçu l'appel téléphonique de la police annonçant le décès de son mari dans un accident de voiture, la mère avait immédiatement prévenu sa sœur ; une réaction instinctive ; elle ne cherchait aucun réconfort, elle savait simplement qu'elle ne serait pas en mesure de s'occuper de ses filles. La tante dit à Mathilde qu'il valait mieux qu'elle retourne dans sa chambre ; c'était absurde, elle ne voulait pas laisser sa mère dans cet état, mais elle s'était résolue à écouter sagement ce qu'on lui disait. À cet instant, sa propre douleur, celle d'une fille qui venait d'apprendre la mort de son père, était comme inexistante. Elle ne la ressentait presque pas, cette mort ; à vrai dire, elle lui semblait tout simplement impossible. La mort lui paraissait être une information, pas quelque chose de concret ; tout comme on entend sans en saisir la réalité le nombre de victimes d'un séisme ou d'un crash arrivé à l'autre bout du monde. Il lui semblait que son père serait quand même là le lendemain matin pour prendre le petit déjeuner avec elle.

Mathilde retourna dans sa chambre et se laissa envahir progressivement par la tragédie. Elle observa un long moment le visage de sa sœur, visage paisible qui dormait si bien ; elle voguait encore dans ce monde qui n'existait plus maintenant. La mort de leur père les propulserait dans une autre enfance, une autre vie. Mathilde espérait que sa sœur dorme longtemps, prolonge le plus longtemps possible son séjour à l'abri du réel. Cette attitude bienveillante et protectrice n'était pas forcément le reflet de leur relation. Les deux filles se disputaient souvent ; les rapports, à cet âge-là, sont des montagnes russes. Mathilde passa la nuit entre les pleurs de sa mère et le visage apaisé de sa sœur.

18

Après l'enterrement, la mère plongea dans une véritable dépression. Ses filles furent envoyées chez leur tante, malgré leur peu d'enthousiasme. Après la mort de leur père, c'était comme une double peine. Mais elles voyaient bien à quel point leur maman n'était plus en capacité de prendre en charge leur quotidien. « Elle a besoin de solitude pour se reconstruire », avait-on dit à l'époque. Il y avait aussi quelque chose que personne ne savait et qui la hantait. La dernière discussion qu'elle avait eue avec son mari, l'homme de sa vie, le père de ses filles, avait été une dispute. Pour une broutille, rien de très important, mais cela accentuait l'insoutenable à ses yeux de se dire qu'ils s'étaient définitivement quittés sur une note négative. Peut-être même que cette tension-là avait joué sur l'humeur de son mari au moment de prendre le volant. Non, la culpabilité la poussait trop loin, aucune donnée concrète ne validait cette possibilité. D'autant plus qu'il n'avait pas été responsable de l'accident. Elle se sentait davantage envahie par un sentiment d'amertume, pour ne pas dire de dégoût ; elle aurait voulu lui dire une dernière fois l'amour qu'elle lui portait. C'était impossible maintenant ; elle demeurait violemment suspendue dans cet inachèvement sentimental.

Pour ses deux filles, il lui fallait se relever. Réduire le temps de la douleur. Au bout de quelques semaines, Agathe et Mathilde rentrèrent, mais plus rien n'était comme avant. Les tentatives pour remettre un peu de vie dans le nouveau trio étaient trop appuyées, respiraient le manque de naturel. Les filles ne cherchaient qu'une seule chose : simplifier la vie de leur maman. Plus la moindre crise, plus le moindre désir exprimé, elles vivaient avec le cœur dans une étoffe. L'atmosphère était si étrange. La mère organisait des soirées photos où l'on revoyait le mort sous toutes les coutures. On parlait de lui au présent. Ces rétrospectives prenaient souvent une allure morbide. Les deux filles eurent le sentiment de se rapprocher davantage, une forme d'alliance nécessaire à la survie de la famille. Elles seraient unies pour toujours ; comme si la mort soulignait davantage la proximité des destins.

Mais tout prendrait bientôt une tournure différente.

19

Quelques mois plus tard, la mère ressentit une douleur dans la poitrine ; elle fut emportée par un cancer.

20

Avec la perte successive et brutale de ses deux parents, Mathilde savait mieux que quiconque que le bonheur pouvait voler en éclats. La résolution brutale d'Étienne fut comme une réplique de ce qu'elle avait déjà connu.

En ressassant les derniers épisodes de leur vie amoureuse, Mathilde commençait à y déceler, ici ou là, les prémices de ce qui allait se passer. Elle avait manqué de lucidité. Maintenant qu'elle y repensait, cela faisait des semaines qu'il était devenu différent. Tous deux travaillaient beaucoup, et elle se disait simplement que l'existence ne pouvait pas toujours être celle que l'on vit au mois d'août au soleil. Le souvenir du bonheur en Croatie la rendait parfois nostalgique, mais elle demeurait persuadée qu'ils auraient encore tant de choses à partager ensemble.

Mathilde se laissa envahir par un sentiment de culpabilité ; elle écrivit quelques messages à Étienne dans ce sens. « Excuse-moi, je n'ai pas assez compris ce que tu ressentais, ce que tu traversais… » Incapable d'admettre que leur relation était finie, elle la réécrivait sous tous les angles ; mais il est impossible de changer une histoire terminée. Il ne répondit pas aux messages, non pas par insensibilité, mais simplement parce qu'il pensait que ce serait mieux pour tous deux de ne pas entretenir une correspondance en forme d'exégèse de leur déclin. Malgré cette absence de communication, Mathilde continuait de croire en la possibilité d'un retour d'Étienne ; il se rendrait forcément compte de son erreur. Ils ne pouvaient pas vivre l'un sans l'autre. Cette distorsion du réel, cet aveuglement même, permettait à Mathilde d'avancer sans s'effondrer. Chaque jour, au lycée, elle passait des heures à expliquer des textes, à analyser les intentions des écrivains, alors qu'elle n'avait plus les clés pour comprendre ce qui lui arrivait. Les romans lui paraissaient si limpides[1].

21

Un autre roman, celui de Sabine. Elle adorait parler d'elle ; ce qui convenait parfaitement à Mathilde, incapable depuis les derniers événements de soutenir la moindre conversation. Aujourd'hui, elle ne s'épanchait pas sur ses déboires professionnels, mais sur sa vie amoureuse. Elle venait de passer la nuit avec un homme récemment rencontré sur Tinder. « Autant il était très décontracté par écrit… mais là, tu vois, j'ai vu arriver un mec un peu stressé. C'est bien simple, je me suis même demandé si c'était lui qui avait rédigé ses messages. Heureusement, il a fini par se détendre. On s'est mis à boire et la soirée a filé à toute allure. D'habitude, j'attends au moins le deuxième rendez-vous pour coucher, tu vois. Mais là j'avais envie. Il était quand même assez beau. Alors je l'ai invité chez moi. On a fait l'amour tout de suite. C'était pas mal du tout, mais j'avais espéré mieux. Il n'a pas été très attentif à moi, si tu vois ce que je veux dire. Une fois la chose finie, il s'est allumé une cigarette. C'est toujours un peu bizarre ces moments-là, on n'a pas grand-chose à se dire. Mais je voulais

1. « Je devrais peut-être aller vivre dans un roman », pensa-t-elle.

que ce soit lui qui parle en premier. Question de principe. Au bout de cinq minutes, il s'est enfin décidé. Et là, il m'a dit qu'il devait rentrer chez lui. Pas de souci, j'ai l'habitude, ça m'arrange même, en général, je n'aime pas dormir à deux. Je n'ai pas osé lui poser la question de savoir s'il avait envie de me revoir. Et là, tu sais ce qu'il me dit ce con ? Il m'annonce comme ça qu'il est marié. Tu entends ça ?

— …

— Tu m'écoutes ?

— Oui.

— Il a enchaîné deux trois banalités, avant de m'annoncer, tiens-toi bien : "Je préfère te dire la vérité car j'ai passé une super soirée avec toi. Tu es une fille géniale, alors je me suis dit que c'était mieux d'être honnête. Je dois rentrer chez moi retrouver ma femme." Tu me connais, j'ai de la repartie, mais là, je ne savais pas quoi répondre. Il a remis son caleçon, ses chaussettes, et il est parti. Si ça se trouve, tout ce qu'il m'avait dit sur son travail, ses passions et les autres trucs de sa vie, tout était faux. Je n'ai pas bien dormi, tu imagines. Je n'en peux plus de toutes ces rencontres sans queue ni tête. J'arrête tous les sites, je préfère finir vieille fille.

— Ne dis pas ça… je suis sûre que tu vas rencontrer quelqu'un de bien.

— C'est facile pour toi de dire ça. Tu nages dans le bonheur. »

Pendant toute l'après-midi, Mathilde avait repensé à cette expression : *nager dans le bonheur*. Que se passe-t-il quand on atteint le rivage ?

22

Le silence d'Étienne lui pesait terriblement. Elle lui écrivait qu'elle avait besoin de lui parler. Il ne répondait pas. Certains jours étaient insoutenables. Elle en était réduite à s'enfermer pour pleurer dans les toilettes du lycée entre les cours.

Leurs proches continuaient de lui adresser des messages ; à chaque fois qu'on prenait de ses nouvelles, elle se sentait encore plus pitoyable. Ils demandaient à la voir, elle prétextait être débordée de travail. Elle finit par accepter la visite de Benoît, l'un des meilleurs amis d'Étienne. Il devait être en mission spéciale, envoyé par le bourreau, comme un service après-vente de la rupture. Il lui ferait son rapport après. Comment devait-elle paraître ? Dépressive pour susciter une pitié qui ferait revenir Étienne ou bien exagérément heureuse pour lui faire regretter son départ ? Elle n'était pas dupe, il viendrait la voir une ou deux fois, ils s'échangeraient des messages, mais il était probable qu'ils se perdraient de vue. Elle se trompait sur un point crucial : Benoît n'était pas un émissaire. Il se préoccupait réellement de savoir comment elle allait. Il avait toujours été prévenant avec elle, et l'avait accueillie avec beaucoup de chaleur dans le groupe d'amis d'Étienne.

Quand il sonna à la porte, Mathilde l'observa un instant par le judas avant d'ouvrir. Il avait l'air un peu stressé, comme quand on va visiter un malade dont l'état est préoccupant. Benoît avait un paquet à la main. Mathilde songea instinctivement : « Si c'est des chocolats, c'est qu'il me croit en grande dépression. » Elle finit par ouvrir, il lui adressa un large sourire, et annonça en entrant dans le salon : « Je t'ai apporté des chocolats. »

Quelques instants plus tard, ils étaient à la table du salon, buvant du thé et balayant des banalités. La gêne était palpable. Après quelques échanges concernant l'actualité politique et artistique, ils évoquèrent leur vie professionnelle. La principale difficulté de ce moment était d'éviter à tout prix un silence qui serait comme une crevasse qui les engloutirait tous les deux ; et au fond de ce précipice : l'obligation de parler d'Étienne. Pourtant, il était évident que telle était la destination de cette rencontre. Tout le reste n'était qu'un long préliminaire indigeste. Enfin, pas tout à fait, Mathilde prenait malgré tout un certain plaisir à la visite de Benoît, qui lui paraissait érudit et charmant. Elle le trouvait même délicat, jusqu'au moment où il prononça cette phrase : « Tu sais, c'est difficile aussi pour lui. »

Cela, elle ne pouvait pas l'entendre. C'était lui qui l'avait plongée dans l'horreur, c'était sa responsabilité, alors oui, il pouvait ici ou là avoir des moments *difficiles* et sûrement liés à la culpabilité de l'avoir quittée sans raison. Mais elle revendiquait d'une certaine façon le monopole de la douleur.

« Il t'aimait vraiment, reprit Benoît.

— Le véritable amour ne peut pas s'arrêter.

— On ne maîtrise pas tout, sûrement.

— Mais qu'est-ce qu'il n'a pas maîtrisé ?

— …

— Dis-moi…

— Non, rien.

— Tu as fait une drôle de tête. Je suis censée savoir quelque chose que je ne saurais pas ?

— Non…

— Benoît. Ne me fais pas ça.

— Je pensais… qu'il te l'avait dit.

— Je ne sais rien. Je vis dans ce rien depuis des semaines.

— Je…

— Quoi ?

— Ça a été plus fort que lui…

— Quoi ?

— Quand il l'a revue.

— Qui ?

— Tu sais bien.

— … »

C'était donc ça.

Iris était revenue.

Mathilde était sous le choc ; Benoît voulut faire marche arrière. Il était venu avec des chocolats, une visite de courtoisie, d'amitié même, et voilà qu'elle se transformait en une déflagration. Il venait de faire exploser une bombe dans le salon, il le voyait, il le sentait. Pourtant, Mathilde tenta de faire bonne impression, de ne rien montrer. Elle finit par dire qu'elle travaillait beaucoup en ce moment, c'était sa façon de surmonter cette mauvaise passe, et qu'elle était fatiguée. Benoît comprit, ils promirent de se revoir bientôt, ce qu'ils ne feraient pas bien sûr. Il quitta l'appartement.

Et merci pour les chocolats.

23

Iris.
Iris.
Iris.
Iris.
Iris.
Iris.
Iris.
Iris.
Iris.
Iris.
Iris.
Iris.
Iris.
Iris.

Une fois seule, Mathilde se mit à écrire ce prénom maudit sur plusieurs pages, comme une sorte d'incantation maléfique. Pourquoi Étienne ne lui avait-il rien dit ? Elle lui envoya un message aussitôt pour lui demander des explications. Il répondit au bout de plusieurs heures (sûrement était-il occupé à la baiser, pensa Mathilde) qu'il n'avait pas eu la force de lui dire la vérité. La vérité imparable. Sans bavure. Une équation amoureuse qui faisait une victime : elle. Iris était revenue, après cinq ans passés en Australie, et avait repris sa place. Comme si de rien n'était. Comme si Mathilde n'avait pas existé. Elle avait été une sorte de parenthèse. Toute une vie pour rien. Des souvenirs, des projets (elle devenait folle à force de ressasser cette conversation en Croatie sur leur prochain mariage), des discussions joyeuses ou des disputes sans gravité, tout cela n'avait été qu'une vie en forme de salle d'attente de l'autre.

Cette violence supplémentaire l'achevait. Jusqu'à présent, elle avait pu se raccrocher à l'idée d'avoir vécu une belle histoire d'amour qui finit mal, comme toutes les histoires d'amour. C'était atroce, mais la vie était ainsi. Un degré supérieur était franchi dans la douleur, avec le sentiment légitime d'avoir bouché un trou dans un cœur d'homme. Cet homme qui était toute sa vie. L'humiliation était absolue. Pourtant, Iris n'avait jamais cessé de la hanter. Elle ne tombait pas du ciel ; elle tombait du passé. Au tout départ de leur histoire, elle était même très présente. Mathilde sentait bien ce fantôme sentimental errer dans leur début, lui imposant parfois une tonalité mélancolique. La vérité était plus complexe : Mathilde avait été émue par cet homme abîmé par la rupture. Elle avait lu trop de romans anglais du XIXe siècle, qui lui avaient donné une aspiration simultanée au romantisme et à la souffrance.

Le temps passant, ils étaient devenus de plus en plus heureux. Bien sûr, il restait insoutenable de songer à l'autre histoire, à cette époque où Étienne avait été fou amoureux d'Iris. L'amour devrait toujours être une année zéro. Elle pensait à cette femme d'avant, et voulait en savoir davantage :

« Raconte-moi ce qui s'est passé…

— Tu veux vraiment savoir ?

— Oui… je crois… », répondait Mathilde, animée par cette étrange sensation d'aimer parfois ce qui nous fait mal. Elle voulait connaître le passé amoureux d'Étienne ; ce passé qui la plaçait face à une douloureuse évidence : il avait aimé plus intensément avant elle.

Telle avait été leur histoire : après deux ans d'une grande passion, Iris était partie pratiquement du jour au lendemain. Elle avait prétexté vouloir changer de vie. Elle ne se sentait pas épanouie à Paris, ne s'y voyait aucune perspective professionnelle. Plus jeune, elle s'était toujours dit qu'elle irait vivre un jour en Australie. Quelques mois ou quelques années, peu importe. Partir à l'aventure, découvrir de nouveaux horizons ; rien de très original. On avait l'impression que « partir pour l'Australie » était le slogan ordinaire de tout Européen de vingt ans[1]. Sa rencontre avec Étienne avait empêché la réalisation de ce désir et, malgré son amour pour lui, elle n'avait cessé de penser que cette histoire contrariait son destin. Ainsi, elle décida de partir. Mais Étienne avait perçu chez elle une hésitation. Il aurait été préférable qu'elle le quitte d'une manière nette et franche. « Je t'en prie… ne pars pas… », l'avait-il implorée. « Nous sommes heureux », avait-il voulu ajouter, mais il faut se rendre à l'évidence : une femme qui veut partir vivre à l'autre bout du monde ne peut pas être tout à fait heureuse avec vous. Il tentait de comprendre ses arguments, le besoin de se « réaliser », de s'émanciper, mais quel gâchis insupportable que de voir piétiner un tel bonheur. Il avait fini par se dire que certaines histoires meurent d'avoir commencé trop tôt ; Iris n'avait pas assez vécu, et c'était un poids dans son cœur. Il ne pouvait pas lutter. Elle le laissa, et il demeura hébété par cette fin absurde.

Elle proposa de rester en contact, mais il finit par couper tous les liens ; il préférait l'absence d'Iris à des petits bouts de conversation disséminés ici ou là, errant comme des âmes perdues. Étienne allait

1. On pourrait dire que « partir pour l'Inde » est celui de l'Européen de quarante ans, et « partir pour la Suisse » celui qui s'impose à soixante ans.

parfois voir sur Instagram les photos d'Iris, mais finalement cela lui faisait trop mal. Il passa donc à la seconde rupture : celle des réseaux sociaux, en la « bloquant » sur toutes ses pages. Elle fit de même : la fin d'un amour moderne.

24

Il enchaîna quelques aventures, ressentant chaque fois davantage le manque d'Iris. Les autres femmes lui rappelaient toujours une même femme. Elle avait été son premier amour, et il le vivait comme une condamnation à perpétuité.

Et puis, il fallait croire que non. On pouvait changer de livre. La première fois qu'Étienne vit Mathilde, il la trouva franchement charmante. Quand on lui demandait quel était son type de femme, il était incapable de répondre ; il estimait n'avoir aucun goût précis. Toute femme pouvait potentiellement lui plaire ou lui déplaire. Mais Mathilde lui plut aussitôt et même : instinctivement. Il était encore très encombré par Iris, mais, pour la première fois, il se rendait compte qu'il avait envie de revoir une autre fille. Et, bien sûr, c'était réciproque[1]. Mathilde eut le sentiment de

1. Elle qui avait écrit un mémoire sur Flaubert comprit réellement le sens de cette phrase qui évoque la rencontre de l'être aimé : « L'univers venait tout à coup de s'élargir. »

reconnaître cet homme, qu'elle ne le rencontrait pas pour la première fois, mais qu'il existait déjà en elle, comme une sorte de prémonition amoureuse.

Ils s'étaient retrouvés tous les deux sur le balcon d'un appartement, à une soirée, chez un ami commun ; d'ailleurs, ils ne le connaissaient pas si bien que ça, cet ami commun. Disons, une vague connaissance commune. Un de ces êtres qui traversent votre existence et qui, malgré lui, sera l'organisateur de ce qui va bouleverser votre vie.

Telle est donc la scène que les deux amoureux, par la suite, se raconteront sans cesse. Tous les couples, dans une excitation narrative, adorent se remémorer les détails de leur première fois. Ils estiment souvent que tout dans leur rencontre a été *fou* ou *incroyable* alors que, la plupart du temps, tout n'a été qu'éclat de la banalité.

« Tu te rends compte ? C'était fou... quand même... de se retrouver tous les deux sur ce balcon, au même moment.

— Oui, incroyable.

— Et ce qui était fou aussi, c'est qu'on ne fumait pas tous les deux.

— Oui incroyable. On était juste sortis prendre l'air.

— C'est tout de même si beau. Chercher l'air... et trouver l'amour.

— C'est mieux que le contraire ! Chercher l'amour... et trouver l'air.

— Ah ah... »

Ils riaient tous deux de cette délicieuse idiotie du balbutiement des amours.

Mathilde constata rapidement qu'Étienne était sujet à des crises de mélancolie; Iris entravait encore ce bonheur qui lui tendait les bras. Mathilde mit toute son énergie amoureuse à chasser cette mélancolie, et à transformer le présent en un royaume interdit aux fantômes du passé. Elle y parvint progressivement. Un jour, Étienne déclara: «Je me demande comment j'ai pu l'aimer, elle est lâche et méprisable. Elle n'a pas plus d'importance à mes yeux qu'une taie d'oreiller.» Le passé venait de prendre fin. Pour le moment, tout du moins.

25

Iris était revenue depuis plusieurs mois. Dès son arrivée, elle avait contacté Étienne. Elle ne voulait pas qu'il apprenne son retour de manière impromptue, par des amis communs. Ces mêmes amis chez qui ils risquaient de se croiser.

Étienne était resté stupéfait par cette information. Iris avait simplement écrit: «Je voulais te prévenir que je suis revenue à Paris. J'espère que tu vas bien. Je t'embrasse, Iris.» Trois phrases après cinq ans de silence. Il ne savait que répondre. Fallait-il valider le message? «Très bien. Bon retour.» Attendait-elle un signe? Et surtout: voulait-il la revoir ? Il ne savait pas trop. Il pensa à des retrouvailles banales dans un café, on se raconte rapidement, on survole les années l'un sans l'autre, et puis c'est une conversation qui finit dans une impasse lamentable. La vie a passé, et on n'a plus rien à dire. On évite bien sûr d'évoquer le pathétique de la séparation. On a une conversation polie et sociale avec la personne qui un temps a compté le plus dans notre vie ; celle avec qui on aurait pu se suicider[1]. C'était absurde de s'imposer cela. Alors, Étienne ne répondit pas.

Quelques semaines plus tard, elle envoya un nouveau message, sur le même ton désinvolte : « Je comprends que tu ne m'aies pas répondu, mais je voulais juste te dire que cela me ferait très plaisir de déjeuner avec toi. Iris. » Étienne replongea dans le même état que la première fois ; il était bien incapable de savoir s'il en avait envie ou non. Plusieurs fois, il avait tout de même pensé que cela lui ferait du bien de la voir. Il imaginait qu'elle était rentrée à Paris parce qu'elle n'avait pas réussi sa vie là-bas. D'un point de vue narcissique, il serait peut-être heureux de constater l'échec qu'elle avait essuyé après avoir choisi de le quitter. Non, ce n'était pas vrai. Il ne ressentait pas cela. Il voulait du bien à cette femme ; il lui voudrait toujours du

1. En songeant à cela, Étienne fait référence à un film qu'Iris et lui vénéraient : *Domicile conjugal*, de François Truffaut. C'est dans ce film que Kyoko, la compagne japonaise d'Antoine Doinel, lui dit : « Si je me suicide avec quelqu'un, je voudrais beaucoup que ce soit avec toi. »

bien. Il avait fini par comprendre les raisons de son départ avec le temps. Il ne lui souhaitait que d'être heureuse, et de trouver quelque part ce qu'elle semblait chercher sans cesse, avec une sorte de rage contenue : une forme d'apaisement.

Pour la seconde fois, Étienne avait décidé de ne pas répondre, mais il s'était passé un événement la veille au soir. Événement absurde, ridicule, minuscule, dont les conséquences seraient pourtant majeures. Il s'était disputé avec Mathilde, comme n'importe quel couple qui s'irrite parfois d'un rien. Un énervement qui n'avait aucune base concrète. Juste une incompréhension par rapport à un message écrit ; un mot mal interprété ; peut-être même une virgule mal placée qui transforme le ton d'une phrase. Oui, peut-être que c'était juste à cause d'une virgule. Et c'était bien cette virgule qui allait modifier plusieurs avenirs.

Ce matin-là, Étienne quitta le domicile, toujours agacé par cette incompréhension. Dans ces cas-là, on s'exaspère d'une manière démesurée. On se dit qu'on n'en peut plus. On aime broyer un noir excessif, tout en sachant que dès le soir on sera follement heureux de vivre une réconciliation. Cette tension passagère ne laissait aucune place pour le doute : Étienne aimait Mathilde. Mais c'est à cause de ce malentendu qu'il se dit idiotement : « Si c'est comme ça, je réponds à Iris. »

Et c'est ce qu'il fit.

26

Étienne n'avait rien dit à Mathilde de ce déjeuner, et il se sentait finalement assez heureux d'y aller, totalement libéré des démons du passé. Mais, il se produisit aussitôt quelque chose d'assez difficile à décrire ; quelque chose de semblable à une forme d'évidence ; une évidence effroyable. Il sut à la seconde où il l'aperçut qu'il n'avait jamais cessé de l'aimer, ce qui le plongea dans un désarroi total. Après leur entrevue, il quitta précipitamment le restaurant en se jurant de ne jamais la revoir. Le soir même, hagard, il expliquait furtivement à Mathilde que son nouveau patron le soumettait à des exigences hallucinantes.

27

Iris n'en revenait pas du déjeuner qu'elle venait de vivre. Étienne était entré dans le restaurant (elle était arrivée la première), et il ne l'avait pas cherchée du regard. Il avait aussitôt repéré l'endroit où elle était assise. Ils avaient hésité un instant sur les modalités physiques de leur bonjour, avant de se faire la bise. Ils avaient échangé quelques banalités :

« Tu n'as pas changé.

— Toi non plus.
— Ça fait déjà cinq ans.
— Oui, c'est beaucoup.
— Ce n'est rien. J'ai l'impression de t'avoir vu hier.
— Moi aussi. »

En quelques secondes seulement, la conversation avait pris une tournure intime. Tout comme Étienne, Iris avait compris aussitôt qu'ils venaient de mettre le doigt dans un engrenage. Ils avaient commandé des plats, sans vraiment consulter la carte. Étienne avait fini par dire :

« Je ne peux pas manger.
— Moi non plus.
— Je suis avec une femme depuis cinq ans, avait-il dit subitement.
— Je sais.
— Je suis heureux.
— C'est tout ce que je te souhaite.
— … »

Il n'avait donc rien répondu. Et c'est au cœur de cette réplique de silence qu'il avait décidé de se lever, et de partir. Il l'avait regardée droit dans les yeux, et cela signifiait : « Je ne peux pas. » Ou comme dans *Les Liaisons dangereuses* : « C'est au-delà de mes forces. » Oui, c'était au-delà de ses forces. Il était resté tout de même une ou deux secondes[1] à l'observer. Elle était comme une effraction de la réalité.

1. Ce qui est ici une éternité.

28

Les jours passèrent, dans un profond malaise. La plupart du temps, Étienne parvenait à masquer ce qui le rongeait. On ne pouvait pas percevoir cette vie intérieure qui l'animait; cette vie où Iris avait repris sa place impériale. Elle éprouvait la même chose, mais ne voulait pas l'encombrer. Elle s'était rendu compte qu'elle l'aimait toujours, et peut-être plus encore que cinq ans auparavant; au point de ne pas s'imposer à nouveau dans son existence, et de le laisser vivre son amour, puisque tel était son souhait. Elle ne ferait rien pour le gêner. Elle regrettait d'être partie. Pourtant, elle se disait que si leur histoire reprenait un jour, cela serait cette fois sur de bonnes bases; elle avait vécu, il avait mûri.

Ils avaient fini par se revoir au bout d'un mois; cette fois-ci, c'est Étienne qui avait pris l'initiative. «J'espère que tu resteras un peu plus longtemps que la dernière fois», avait-elle répondu. Il avait alors écrit: «Je vais rester toute la vie», avant d'effacer aussitôt ce message. Ils décidèrent surtout de ne pas se voir assis. Il est préférable de marcher pour se raconter. Ainsi, ils longèrent la Seine. Le ciel était d'un gris idéal. Iris évoqua sa vie à Sydney sans chercher à enjoliver les choses. Elle se dit instinctivement: «Si nous devons nous remettre ensemble, alors je préfère qu'il sache tout.» Elle raconta avoir été mariée à un Australien pendant deux ans. Étienne fut surpris, il la pensait hostile au mariage ; il reçut cette nouvelle comme un coup de poignard dans le cœur. C'était insupportable de se dire qu'elle avait aimé au point de se marier. Surtout, il n'y avait plus de doute : ce qu'il ressentait prouvait que son amour était bel et bien revenu. Iris continua son récit : en tant que Bretonne, elle avait ouvert une petite crêperie dans un quartier populaire de la ville, et ça marchait très bien. Elle travaillait énormément, tout comme son mari ; ils se voyaient assez peu d'ailleurs. Le week-end, ils partaient parfois camper. En dormant à la belle étoile, ils se disaient que tout était parfait. Mais ces moments étaient rares, disséminés dans une routine de plus en plus oppressante. Assez vite, Iris commença à se demander ce qu'elle était venue faire aussi loin de chez elle. De plus en plus, la France lui manquait ; c'était viscéral. Elle était capable de tenir la jambe au moindre touriste français croisé dans la rue, et regardait des émissions improbables sur TV5 Monde juste pour entendre sa langue. Son pays lui paraissait lointain, atrocement lointain, si lointain qu'elle n'était plus bien sûre qu'il existait quelque part sur la Terre.

Son mari commença à ressentir les doutes d'Iris. Lors de leur mariage, ils s'étaient promis d'avoir bientôt des enfants. Il se mit à espérer qu'elle tombe enceinte. C'était son meilleur argument pour qu'elle reste. Cela finit par arriver. Pendant quelques jours, elle fut profondément heureuse.

Il l'emmena dans un grand restaurant pour fêter la nouvelle, et au dîner ils se mirent à parler prénoms. Tout cela prenait un tour si concret.

Il fallut quelques jours à Iris pour prendre conscience que ce bonheur-là équivalait à un enracinement définitif. Puis cette subite lucidité se mua en une remise en question, pour finalement aboutir à un sentiment de dégoût[1]. Elle finit par considérer l'enfant à venir comme un ennemi de son propre avenir. Sans en parler à son mari, certaine qu'il s'efforcerait de l'en dissuader, elle prit rendez-vous dans une clinique pour avorter. Avant l'intervention, on lui demanda plusieurs fois si elle était bien certaine de sa décision. Cela lui paraissait vertigineux de se retrouver ainsi face à deux vies possibles. Elle finit par confirmer sa première intention, ce qui ne l'empêcha pas de ressortir effondrée. Elle erra jusqu'au soir dans un Sydney qu'elle ne reconnaissait plus vraiment. Iris ne répondit pas aux incessants appels de son mari ; elle finit par rentrer, et avoua ce qu'elle venait de faire. Incrédule, il resta un instant sans être capable de réagir. Puis il balbutia : « Ce n'est pas possible, ce n'est pas possible, ce n'est pas possible. » Il avait répété trois fois cette phrase, comme si la répétition pouvait devenir une incantation visant à modifier le réel ; mais plus rien ne pouvait être changé. Il tenta un instant de comprendre sa femme, qui était

1. Étienne pensa furtivement : « Iris est ainsi, elle sème des bonheurs qu'elle fuit de peur qu'ils fanent devant elle. »

une inconnue à présent. Elle demeura mutique. Il n'y avait rien à dire. Les faits étaient sans appel. Il devint alors fou et cassa tout dans le salon. C'est sur cette image d'un appartement dévasté, pure désolation, que le séjour australien d'Iris s'était achevé.

Elle s'était racontée sans le moindre pathos ; ce qu'elle avait vécu lui semblait être de l'ordre du chemin initiatique. Elle avait eu besoin de passer par toutes ces étapes pour se comprendre, pour être en adéquation avec elle-même :

« Ce n'est pas facile tous les jours, mais je me sens enfin à ma place maintenant.

— Tant mieux.

— Depuis que je suis revenue, tout se passe à merveille. J'ai trouvé un job qui me plaît tellement dans une revue culinaire. Ils devraient bientôt la décliner en Web TV, et a priori j'en serai la rédactrice en chef. C'est fou, non ?

— Oui, je suis heureux pour toi.

— Et puis je t'ai retrouvé.

— …

— Tu vas encore laisser du silence. Ce n'est pas bon signe avec toi. Ça veut dire que tu vas partir.

— … »

Il la regarda, et subitement l'embrassa.

29

Ce fut un vertige. C'était bouleversant de retrouver ce corps déjà connu, déjà aimé si longtemps auparavant. Le sentiment de découvrir quelque chose qui existe déjà en nous. Un jour, Étienne, ne sachant comment dire les choses, avait balbutié à Mathilde : « Je ne me sens pas bien *en ce moment.* » Il n'était pas bien car il anticipait la souffrance qu'il allait lui infliger ; il en était obsédé. Mais, d'un autre côté, il ne s'était jamais senti aussi bien *en ce moment.*

30

Mathilde aurait pu tout accepter, mais pas ça. Elle aurait pu accepter une nouvelle femme, un homme, un besoin de solitude, tout, tout, mais pas Iris. Cette nouvelle serait insurmontable. Elle voulut mourir. Pour la première fois, cette pensée était concrète. Pas des mots en l'air. Se jeter par la fenêtre, prendre des cachets, se pendre avec un foulard. Elle se perdait dans le dédale morbide des possibilités. Pourtant, plus elle réfléchissait, plus elle savait qu'elle n'aurait jamais le courage d'agir. Elle allait vivre. Elle allait vivre avec ce poids démesuré sur le cœur.

31

Le lendemain matin, elle appela le proviseur de son lycée pour dire qu'elle était souffrante. Monsieur Berthier fut surpris ; à ses yeux, Mathilde faisait partie de cette catégorie rarissime d'êtres humains qui ne tombent jamais malades. Ou qui viendraient assurer leur cours même avec quarante de fièvre. Il pensa instinctivement : « Il se passe quelque chose de grave. »

32

Depuis qu'Étienne l'avait quittée, Mathilde évitait le sujet et disait que tout allait bien ; Agathe savait que sa sœur était du genre à tout garder pour elle, les souffrances comme les joies d'ailleurs. Elle était la pudeur incarnée, répugnant à encombrer les autres de ses errances. Agathe avait compris qu'il fallait s'imposer pour l'aider, car sa sœur ne ferait jamais le premier pas. Il se passait quelque chose de grave, à l'évidence. La veille, elle n'avait répondu à aucun de ses messages, ce qui n'était pas dans ses habitudes. Elle avait alors appelé le lycée, où on lui avait appris que sa sœur était souffrante. Elle s'était décidée à aller jusque chez elle vérifier si tout allait bien, pendant sa pause-déjeuner, en dépit de son épuisement : la nuit avait été interrompue à de multiples reprises par les pleurs de sa petite Lili.

Tout d'abord, Mathilde n'ouvrit pas. Elle voulait rester seule. Juste une journée. Laissez-moi tranquille, pensa-t-elle. Elle était persuadée que c'était sa sœur ; elle aurait dû répondre à ses messages, la rassurer. Quelle idiote. La conséquence était prévisible, elle aurait agi de la même façon si Agathe ne lui avait plus donné de nouvelles. Finalement, elle se traîna jusqu'à la porte, et ouvrit ; Agathe entra sans rien dire, évitant même de commenter le désordre de l'appartement ; un chaos inédit chez Mathilde, qui adorait ranger, et disait tout le temps ne pas pouvoir avoir les idées claires dans un environnement bordélique. Agathe se dirigea vers la cuisine pour préparer du thé ; toujours en silence. Elle revint quelques minutes plus tard au salon pour y découvrir une Mathilde prostrée. Elle s'approcha, et lui passa la main dans le dos : « Je suis là. Tu sais que je suis là. »

Mathilde avait désiré rester seule. Chacun possède son propre chemin vers la consolation, son mode d'emploi pour tenter de chasser la douleur. En ressentant la bienveillance de sa sœur, elle se dit que c'était absurde de penser qu'elle pourrait s'en sortir ainsi. Elle avait besoin de ses proches ; ils devaient l'aider à porter la souffrance qui était en elle. Mathilde se mit à parler de ce qu'elle venait d'apprendre. Iris. Le retour d'Iris. Qui avait signifié son arrêt de mort. Un décès sentimental. Agathe ne savait que répondre. Il n'y avait rien à dire sûrement. Insulter l'autre femme, traiter Étienne de fou, à quoi bon ? La situation semblait claire et définitive. Il fallait s'en accommoder. Accepter. Sans rien dire. Juste accepter. Agathe finit par dire :

« Tu ne peux pas rester ici.

— C'est-à-dire ?

— Là, cet appartement.

— Je ne sais pas.

— Il a laissé toutes ses affaires. Ce n'est pas sain.

— Tu as raison, mais…

— Mais quoi ?

— Je ne sais pas. Je crois que j'ai besoin de rester encore là.

— C'est morbide.

— Justement, c'est comme un tombeau. »

Agathe en eut froid dans le dos. Jamais sa sœur n'avait parlé ainsi ; au contraire, elle avait toujours été forte et pleine de vie. Elle fut envahie par un immense sentiment de tristesse, chassé aussitôt par la frustration de ne pas savoir que faire et que dire. Elle finit par demander :

« Tu comptes retourner au lycée ?

— Oui, bien sûr. Dès demain.

— Tant mieux. Tu dois continuer à vivre.

— C'est quoi, cette phrase ? Bien sûr que je vais continuer à vivre.

— Tu peux compter sur moi, tu le sais ?

— Oui. Merci.

— Tu ne veux pas venir dîner à la maison ce soir ?

— Non. Je vais me reposer.

— Très bien.

— Elle ne te manque pas, maman ? demanda alors subitement Mathilde.

— Si, bien sûr. Tout le temps.

— Non… mais je veux dire… pas un manque, comme ça… pas un manque de sa présence… un manque… je ne sais pas comment dire… un manque effroyable. Proche de l'insurmontable.

— Oui, je vois ce que tu veux dire. Certains jours, c'est plus difficile que d'autres. »

Mathilde pensa : « Non, elle ne comprend pas ce que je veux dire. » Elle remercia sa sœur d'être venue ; c'était une façon de lui faire comprendre qu'elle avait envie d'être seule à nouveau. En enfilant son manteau, Agathe répéta : « Tu sais que je suis là. » Elle quitta l'appartement avec un grand sourire, en espérant que ce sourire accompagnerait sa sœur une partie de la journée. Devant l'ascenseur, elle éprouva un sentiment de malaise ; surtout à cause d'un fait particulier : Mathilde n'avait demandé aucune nouvelle de sa nièce. Elle qui adorait Lili, ou qui demandait sans cesse à recevoir des photos, ne l'avait pas mentionnée une seule fois. Ce fait cristallisait la gravité du moment.

33

Le soir même, Agathe envoya un message à Étienne : « Mathilde va très mal. J'espère que tu es sûr de ta décision. »

34

Au premier étage de l'immeuble exerçait une psychiatre : Madame Namouzian. Cela faisait souvent rire Étienne et Mathilde ; ils adoraient dire : « Nous habitons dans un immeuble de fous. » Ils croisaient les patients dans l'escalier, essayaient d'imaginer les névroses de chacun. Cette époque paraissait si lointaine maintenant.

Mathilde s'était tournée et retournée dans son lit toute l'après-midi, et une partie de la soirée. Impossible de trouver le sommeil. Son corps, dans une entreprise perverse, refusait de lui offrir le moindre répit. Il était presque minuit quand elle décida de descendre au premier étage, et de sonner chez la psychiatre. Jamais elle n'aurait pensé être capable d'accomplir un acte comme celui-là. Elle ne supportait pas l'idée de déranger quiconque, avait même du mal à entrer dans un café pour demander d'utiliser les toilettes, et préférait toujours dire que le repas avait été excellent en dépit du fait qu'elle n'avait rien mangé. Quelques exemples d'une nature moins introvertie qu'animée par le désir de ne pas empiéter sur la vie des autres. Ainsi, aller sonner chez un voisin en pleine nuit lui demandait beaucoup de courage. Mais elle ne pouvait pas faire autrement ; elle sentait comme une urgence à s'échapper d'elle-même.

La psychiatre regarda par le judas qui pouvait bien sonner à cette heure-là. Elle eut du mal à reconnaître sa voisine. Habituellement elle la trouvait pimpante et souriante ; surtout quand elle la croisait avec son amoureux ; ils formaient le petit couple parfait de l'immeuble. Là, ses traits étaient tirés. Elle semblait comme habitée par une version plus âgée d'elle-même. La thérapeute ouvrit la porte.

« Bonsoir…, commença Mathilde.

— Bonsoir.

— Je suis vraiment désolée de vous déranger à une heure si tardive. Ce n'est pas… du tout dans mes habitudes.

— Je vous en prie. Qu'est-ce que je peux faire pour vous ?

— …

— Dites-moi… »

Mathilde ne savait même plus pourquoi elle était descendue. Elle demeurait là, suspendue à des paroles qui ne venaient pas. Un sentiment de honte l'envahit ; une honte qui surgissait ici au cœur de la confusion du moment. Des larmes se mirent à couler le long de ses joues, sans même qu'elle s'en aperçoive. Son visage, tout comme son corps, sombrait par territoires entiers dans l'anesthésie. Sophie Namouzian finit par faire entrer sa voisine ; elle ne pouvait que constater l'état d'urgence dans lequel elle se trouvait.

L'installant sur le canapé, elle lui servit une tisane; celle qu'elle-même était en train de boire. Après de longues journées à recevoir des patients, elle aimait rester seule le soir chez elle, à boire de la tisane et lire. Et, bien sûr, songea la jeune femme, elle avait un chat. Mathilde le contempla un instant, et ne put s'empêcher de penser que bientôt, elle aussi, aurait un chat. C'était incontestablement une vie à chat qui l'attendait.

«Que vous arrive-t-il? demanda doucement la psychiatre.

— Je ne sais pas.

— Essayez de m'expliquer.

— Enfin, bien sûr… que je sais. C'est atrocement banal. Mon compagnon m'a quittée. Voilà.

— Je suis désolée.

— Merci. Je…

— Quoi?

— Je ne veux pas vous déranger avec ça…

— Vous ne me dérangez pas.

— C'est gentil. En tout cas, merci… Je me suis permis de descendre, car cela fait des jours que je ne dors plus… je ne me sens pas capable d'assurer mes cours… je suis enseignante… et je n'ai pas pu y aller aujourd'hui… mais ça ira mieux demain… je vais rebondir… je sais que je vais rebondir… je vais aller mieux… je n'ai pas le choix… je dois surmonter mon chagrin… mais… pour cela, j'ai besoin de dormir… de me reposer… vous comprenez?

— Oui, bien sûr. Je comprends tout à fait.

— J'ai pensé que vous aviez peut-être des cachets pour dormir. Je ferai attention, promis. Je ne suis pas là pour… enfin, vous comprenez.

— Oui, c'est juste pour dormir.

— Voilà. »

Mathilde se sentit épuisée par cette simple conversation. C'était comme si elle avait dû mener une bataille contre ses pensées pour qu'elles se transforment en paroles. Elle avait été au bout de ce qu'elle pouvait exprimer. La psychiatre alla chercher dans son bureau un comprimé de Lexomil.

« Vous pouvez en prendre la moitié d'un. Avec ça vous devriez dormir.

— Merci. Merci mille fois », répondit Mathilde, comme si on venait de lui sauver la vie.

35

Cette nuit-là, elle commença par dormir profondément, avant de se laisser envahir par une multitude de rêves angoissants ; elle était plongée dans une succession de situations impossibles à maîtriser.

36

Le lendemain, elle se réveilla la gorge sèche et le corps engourdi. Certes, elle avait dormi, mais à quel prix? Elle ne se sentait pas capable de produire la moindre pensée claire. En se dirigeant vers la cuisine, elle repéra une enveloppe sous la porte d'entrée. C'était peut-être Étienne; il était passé dans la nuit; il regrettait tout. Elle se jeta sur l'enveloppe, pour y découvrir le nom de Namouzian. À l'intérieur, une ordonnance de Lexomil et des antidépresseurs, un arrêt de travail d'une semaine, et un petit mot sur lequel était inscrit: «Non, votre histoire n'est pas banale. Chaque souffrance est unique. Bon courage. Je suis là, si vous avez besoin de moi. Sophie.»

37

Il y avait donc des gens bienveillants, et cette femme en faisait partie. Mathilde avait pourtant du mal à se remémorer avec précision ce qui s'était passé la veille. Elle était descendue chez la psychiatre, mais était bien incapable de reconstituer les détails de la conversation. Elle avait dû la prendre pour une folle; voir ainsi débarquer une voisine en pleine nuit. Cela dit, c'était son métier. C'était sa vie d'être face aux errances des autres. Comment pouvait-on trouver une forme d'équilibre ainsi? Un instant, Mathilde se laissa dériver vers le quotidien de cette femme. Chaque jour entendre des névroses, des souffrances, des incapacités à respirer. Comment écouter cela sans avoir une forme d'insensibilité viscérale permettant de ne pas se laisser contaminer par la douleur des autres ? Et pourtant, cette femme était montée ce matin pour lui déposer un mot ; elle était tout sauf insensible.

Évidemment, c'était bien différent, mais Mathilde se sentait souvent envahie par les doutes ou les peurs que traversaient ses élèves ; elle éprouvait une réelle empathie pour eux ; elle ne se considérait pas comme une sorte de guide à suivre mais, au contraire, comme une passagère de leur avenir. Elle se voyait à côté d'eux, leur tenant la main même, pour les accompagner sur la route de l'apprentissage. Elle n'aimait pas l'idée de créer une distance, ce que certains collègues lui recommandaient parfois, pour ne pas se laisser « bouffer ». Elle était ainsi, voilà tout. Avec Mateo par exemple, elle s'était investie un peu plus profondément que les autres professeurs ; alors, elle se demandait comment faisait cette psychiatre pour laisser au vestiaire de sa conscience les violences dont elle était témoin. Pouvait-on développer cette capacité à cloisonner ses émotions ? Elle aurait rêvé pouvoir mettre sur pause son propre chagrin. Elle aurait été d'accord pour pleurer toutes les larmes de son corps, puis laisser sa souffrance dans la voiture le matin en arrivant à l'école. Passer une journée dans l'oubli de son abandon, et le retrouver le soir en rentrant. On devrait pouvoir maîtriser son corps et ses pensées ; au lieu de ça, Mathilde se sentait de plus en plus soumise à ce qui la violentait ; elle perdait pied ; elle n'arrivait plus à manger, à dormir, à se contrôler ; il lui semblait qu'un nouvel esprit prenait progressivement possession de son corps ; c'était toujours elle, bien sûr, elle reconnaissait ses mouvements, mais ils étaient aux mains d'une nouvelle direction ; une direction incontrôlable, pour ne pas dire malveillante.

38

Après être passée par la pharmacie, Mathilde était remontée chez elle. Sur la table de la cuisine, elle avait disposé toutes les boîtes de médicaments. Pendant un long moment, dans un combat intérieur, elle avait hésité à tout jeter. Ce n'était pas elle ; cela n'avait jamais été elle d'ingurgiter ce genre de choses. Elle se souvenait de son désarroi lors de ses passages à l'hôpital pendant l'agonie de sa mère. Il y avait toujours quantité de gélules à avaler pendant les repas. Et pour quel résultat ? On l'avait gavée de produits chimiques pour rien. Enfin, non, pas pour rien : pour atténuer la douleur. Elle s'arrêta sur cette expression : « atténuer la douleur ». C'était son rêve à présent. Personne ne pourrait la guérir de son chagrin d'amour, personne ne pourrait rien pour elle, c'était certain, mais atténuer cette douleur, cette douleur qui ne s'arrêtait jamais, oui, c'était ce qu'elle désirait plus que tout. Elle se laissa envahir pendant une heure par la beauté de ce verbe, elle alla même en chercher la définition dans le dictionnaire.

Atténuer : rendre moins fort, moins intense, moins grave une sensation, un sentiment.

C'était exactement ce qu'il lui fallait. Elle n'avait aucun espoir de voir disparaître sa souffrance, mais la rendre moins intense, poser dessus comme une pénombre ou un voile, oui voilà, c'était ce qu'elle voulait ; non pas du bonheur, mais un malheur maîtrisable.

Avant d'avaler un cachet et de se recoucher, elle scanna le congé maladie et l'envoya par mail à Monsieur Berthier. Ces simples actes lui avaient demandé un effort considérable, mais il fallait prévenir le monde extérieur pour pouvoir dériver tranquillement, sans causer la moindre inquiétude. Elle ne voulait plus que sa sœur débarque chez elle, ni personne d'autre. Le médicament fit effet rapidement ; Mathilde était si épuisée qu'elle s'endormit pour la journée. Dormir était une très bonne façon d'atténuer la douleur, de rendre les journées plus courtes, ou filantes.

39

Berthier demeura stupéfait par le message. Il était bien sûr habitué aux dépressions des professeurs ; aux désarrois, aux coups de fatigue. Mais dans le cas de Mathilde, l'événement lui paraissait totalement incongru ; il avait même cru à un canular, au départ. Cette nouvelle avait quelque chose d'illogique. D'autant plus qu'il avait reçu un arrêt de travail établi par une psychiatre ; ce n'était donc pas un problème physique. Il la connaissait si bien ; personne n'aurait pu déceler une telle chute. Cela avait été pernicieux, incontrôlable ; il en avait éprouvé comme un vertige, cette façon qu'on a de ne pas connaître les autres.

Un peu avant la pause-déjeuner, il fit appeler Sabine dans son bureau. En marchant le long du couloir, cette dernière eut le temps d'imaginer toutes les raisons de sa subite convocation. Quelqu'un s'était peut-être plaint d'elle ? Un parent, un élève ? Elle regrettait de s'être habillée en noir, cela lui donnait l'air sinistre, Berthier allait lui en faire la remarque, on n'est pas dans une prison ici, mais comment prévoir qu'il demanderait à la voir ? Il ne l'avait jamais fait en trois ans, jamais ; tout juste connaissait-il son prénom. Elle enseignait l'espagnol, et ça n'intéressait personne, l'espagnol ; même le sport ou le dessin avait plus d'importance ; pendant les conseils de classe, on ne lui demandait jamais son avis, et si elle entrait dans la conversation pour dire que Thibault ou Anaïs avait fait de remarquables progrès, elle récoltait une moue dubitative à la limite de l'impolitesse. Elle songeait à tout cela en se dirigeant vers le bureau de Berthier ; c'était sûrement ça la raison, il voulait arrêter l'enseignement de l'espagnol ; elle ne servait plus à rien ; il y avait les langues vivantes, les langues mortes, mais il fallait inventer une nouvelle catégorie, les langues agonisantes ; l'espagnol en faisait partie[1]. Elle devait à tout prix trouver des arguments pour vanter sa matière ; mais rien ne venait ; rien ; elle était incapable de dire pourquoi il fallait absolument continuer d'enseigner l'espagnol. Son angoisse d'être convoquée s'était transformée en une atroce révélation : la vacuité de sa vie professionnelle.

Elle pénétra dans le bureau. La mine de Berthier était différente de celle des autres jours : on aurait presque pu croire qu'il avait perdu le contrôle de son visage. Quelque chose d'autonome traversait son expression, et Sabine avait bien du mal à déceler le moindre indice de ce qu'il allait dire. Cela ne fit qu'accroître son sentiment premier, celui qu'elle était convoquée pour être écartée. Elle aurait tant voulu trouver les mots justes, entamer une tirade flamboyante pour mettre en évidence les mérites de sa matière, mais elle demeura silencieuse ; en attente de la sentence. Ce qui lui avait paru durer une sorte d'éternité n'avait pas dépassé quelques secondes. Le temps de s'asseoir. Aussitôt, Berthier entama :

« Madame Romero, merci beaucoup d'être venue. Je voulais échanger avec vous… à propos d'un sujet un peu particulier.

— L'espagnol ?

1. Il était probable qu'en Espagne on pensait la même chose du français ; il y avait comme une réciprocité dans l'agonie.

— Non, cela n'a rien à voir avec votre activité. Il s'agit de Madame Pécheux…

— Ah…, fit-elle, soulagée.

— Il me semble que vous êtes très proche d'elle, n'est-ce pas ?

— Oui, c'est vrai. Enfin, on déjeune souvent ensemble. Il y a un souci ?

— Non… enfin… elle est en arrêt maladie.

— Oui j'ai vu qu'elle n'était pas là ce matin… mais je n'ai pas encore eu le temps de l'appeler pour prendre de ses nouvelles. Qu'est-ce qu'elle a ?

— C'est justement pour cela que je voulais vous voir. Peut-être que vous avez des informations… Je vous demande cela car c'est une professeure incroyablement motivée, comme vous le savez… et en trois ans elle n'a jamais été absente… alors voilà, j'ai été quelque peu surpris… de recevoir un arrêt maladie d'une semaine…

— Elle doit avoir une grippe.

— Oui… sûrement », répondit-il en constatant que Sabine ne savait rien. Ou alors, elle ne voulait rien dire.

Berthier ne pouvait pas se permettre de révéler l'intimité d'un de ses professeurs ; il brûlait de demander à Sabine si elle avait des informations concernant une éventuelle consultation psychiatrique, mais il lui était impossible d'en parler aussi frontalement. Il revint à la charge par un biais plus général :

« Est-ce que vous savez si elle a des problèmes personnels en ce moment ?

— Je… ne sais pas. C'est quelqu'un d'assez secret, à vrai dire.

— D'accord… Merci pour votre aide.

— Je vous en prie. Enfin, je n'ai pas beaucoup aidé. Je vais essayer de lui parler, et je vous tiens au courant si j'en sais un peu plus… »

Sabine quitta le bureau, à la fois soulagée et en même temps totalement désarçonnée par la tonalité de l'échange. Que voulait-il savoir exactement ? Il avait forcément des informations qui l'inquiétaient ou le surprenaient pour mener une telle enquête. L'arrêt maladie ne lui avait pas suffi. Sabine essaya de repenser aux derniers moments avec Mathilde pour tenter de se rappeler si quelque chose l'avait intriguée. Non vraiment, elle n'avait rien décelé d'anormal.

40

Tous les soirs, Berthier prenait des nouvelles par texto de sa professeure absente ; elle répondait à chaque fois la même chose : « C'est adorable, j'ai besoin de repos. Je serai là lundi. Ne vous inquiétez pas. » Et elle signait : Mathilde. L'utilisation du prénom le rassurait hautement ; et même : il avait le sentiment que leur lien devenait plus fort.

41

En dépit des limbes dans lesquels elle évoluait, Mathilde restait lucide quant à sa vie professionnelle. C'était comme une forme de résistance ; la seule partie de son esprit non occupée. Elle avait cet instinct de survie de se dire qu'elle devait rassurer le proviseur. Ce n'était pas toujours facile. Les médicaments la plongeaient dans un étrange mélange d'excitation et de léthargie ; elle avait l'impression que certaines pilules avaient pour but de la réveiller, et d'autres de l'endormir ; un cercle vicieux de la pilule.

Elle passait ses journées dans cette double tonalité. Totalement happée par la fatigue, il lui arrivait de s'assoupir à même le sol du couloir menant à la chambre. Et au réveil, rattrapée par des démons de vengeance, elle était soudain surexcitée, devant son ordinateur, à traquer le moindre détail qui concernait Iris. Pourtant, Mathilde n'avait jamais été une championne de la modernité ; elle préparait ses cours en allant à la bibliothèque ; elle pouvait errer dans les rayonnages pendant de longues minutes à la recherche de ce qu'elle aurait trouvé en un clic depuis son canapé. Elle avait un compte Facebook où elle n'allait jamais et qui n'avait même pas de photo de profil ; en tapant son nom, on tombait sur une ombre.

Tout était différent à présent. Elle passait des heures sur le profil Instagram d'Iris, observant les photos de son ennemie, à en devenir folle. C'était atrocement douloureux, mais cette souffrance provoquait parfois comme un bien-être ; elle en voulait davantage, que ça ne s'arrête jamais, voir des photos encore et encore, accentuer la tyrannie mentale. En remontant l'historique du réseau social, elle était même tombée sur une photo d'Iris avec Étienne. Sept ans auparavant. Retour à la case départ. Ils étaient tout sourire devant une plage. Leur Croatie à eux. Si cela se trouvait, ils y étaient à nouveau maintenant ; elle ne pouvait plus le savoir. Iris avait tout de même la décence de ne plus poster de photos ; depuis qu'elle s'était remise avec Étienne, elle n'existait plus sur les réseaux sociaux.

En tapant le nom d'Iris sur Google, elle tomba sur un article évoquant son arrivée à la rédaction de Cuisine TV ; c'était déconcertant de facilité. En moins d'une minute, elle savait où trouver cette femme qui venait de détruire sa vie. Elle s'était arrêtée un instant sur cette dernière pensée : non, ce n'était pas cette fille, la responsable. C'était Étienne qui avait choisi de la quitter. C'était lui qui avait tout détruit. Et puis non, Mathilde revint sur sa première impression : c'était cette fille qui était revenue en France pour tout saccager. Il lui était impossible de penser que les histoires d'amour se jouent parfois malgré nous ; il lui était impossible de se dire qu'elle était une victime de leurs retrouvailles, mais que rien n'avait été fait contre elle ; qu'il n'y avait pas eu d'acte de guerre visant à l'éradiquer. Le résultat était le même à ses yeux. Elle se sentait amputée de sa vie par leur volonté. Et, d'une certaine manière, ils devaient payer. Il n'y avait aucune raison pour qu'elle soit la seule à souffrir.

Avec les jours, la colère augmentait. Jamais elle n'avait ressenti une telle haine ; cela lui faisait presque mal dans la poitrine ; c'était effroyable. Depuis toujours, elle détestait ces histoires de jalousie, d'agressivité, elle essayait sans cesse de chasser toute pensée négative ; elle était incapable de comprendre cette force noire qui la happait et la plongeait dans des pensées morbides. C'était absurde. Il n'y avait rien à faire. Le cœur de l'autre est un royaume impossible à gouverner. Il faut se taire et accepter. Ou, éventuellement, mourir.

Elle y avait pensé. Avec tous ces médicaments à sa disposition. Elle s'était positionnée devant un miroir pour contempler son agonie ; et puis, elle n'était pas allée plus loin, elle avait renoncé. La haine qui l'animait était une pulsion de vie. Elle battait en elle follement. Au cœur de l'après-midi, elle décida subitement de sortir. Il ne servait à rien de ruminer des pensées, de les laisser végéter dans un univers stérile. Soudain, il lui fallait agir. Tout de suite. Elle avait besoin de voir Iris, de lui parler, oui lui parler, rien d'autre. Elle quitta l'appartement sans prendre de douche, sans même se changer. Sa frénésie s'accompagnait d'une anesthésie du regard des autres. De toute façon, il y avait peu de chances qu'elle croise des élèves ou des parents d'élèves dans son quartier. Elle pouvait aller à pied jusqu'au siège de la Web TV où travaillait Iris. C'était « rue de la Fidélité » dans le Xe arrondissement de Paris ; il n'y avait donc jamais de temps mort à l'ironie. Sans cesse, la vie se moquait de nous, comme si le malheur des humains était un divertissement cosmique. Au bout de trente minutes, elle était en bas de l'immeuble. Devait-elle monter ? Demander à parler à Iris ? Non, il valait mieux l'attendre. Peut-être l'observer un peu avant de lui parler.

Mathilde s'installa à la terrasse d'un café ; elle était seule ; il commençait à faire froid, et plus personne ne voulait rester à l'extérieur. Le patron avait sûrement laissé des tables dehors pour les fumeurs.

« Bonjour. Vous voulez boire quoi ? demanda la serveuse.

— Je ne sais pas.

— Je vous laisse réfléchir.

— Oui, merci. »

Elle revint trois minutes plus tard, et ce fut la même conversation. Mathilde était incapable de choisir. Elle aurait dû dire n'importe quoi, comme ça, mais même la plus anodine des réponses lui paraissait à cet instant impossible à prononcer. Son esprit entier était rivé sur la porte de l'immeuble ; à tout moment, cette femme qui avait pris sa place auprès d'Étienne pouvait sortir ; son cœur battait sans la moindre cohérence.

« Je vous sers un café ? avait fini par dire la serveuse.

— Oui, très bien. »

À chaque fois que la porte du bâtiment s'ouvrait, il lui semblait dans un premier temps qu'il s'agissait d'Iris. Tous les visages prenaient la forme de celui d'Iris. Il n'y avait plus que des Iris partout. Même la serveuse pouvait être Iris. Quand elle revint avec le café, Mathilde demanda :

« Vous vous appelez comment ?

— Constance. »

Iris sortit enfin. Ce fut comme une apparition. Cette fois, pas de doute. C'était elle. La même que sur les photos. Les cheveux attachés. Presque rousse. Un peu plus petite qu'elle ne l'avait imaginée. Une démarche assurée. Mathilde se leva subitement pour se diriger vers elle. Quelques mètres plus tard, elle fut interpellée par la serveuse. « Madame ! Madame !... » Mathilde finit par se retourner, comprenant que les appels lui étaient adressés.

« Qu'est-ce qui se passe ? demanda-t-elle, tout en continuant à marcher.

— Vous n'avez pas payé votre consommation.

— Ah... pardon... je vous dois combien ?

— Deux euros soixante-dix. »

Mathilde chercha dans son manteau son portefeuille, tout en ne cessant de suivre Iris du regard. Elle était paniquée ; on la retenait au moment le plus inopportun. Elle finit par trouver un billet de cinquante euros, et le donna à la serveuse avant de partir en courant, sans même attendre la monnaie.

Iris avait tourné à droite à la première intersection. Mathilde allait la perdre, elle accéléra sa course. Au bout de quelques mètres, elle avait le souffle coupé. Les médicaments lui ôtaient toute énergie physique. Elle aperçut enfin sa proie au loin, ce qui la soulagea. Plus que quelques pas vifs pour se retrouver à ses côtés, et lui parler. Pourtant, à cet instant, elle éprouva un autre désir : celui de l'épier. Elle savait depuis le début qu'il n'y avait rien à dire ; elle savait au fond d'elle-même qu'elle n'avait jamais eu la réelle intention de lui parler ou encore moins de l'agresser. Tout cela menait à une impasse, exactement cette impasse qui était son avenir. Alors, que faire ? Elle ne voulait pas abandonner. Iris l'aspirait irrémédiablement. De la même manière que certaines personnes passent des heures à traquer sur les réseaux sociaux les possibles apparitions de l'être aimé ou détesté, comme elle l'avait fait elle-même, Mathilde voulait continuer à la suivre. Qui sait ? Peut-être Iris allait-elle rejoindre Étienne ? Elle allait le chercher à son travail, et puis après ils iraient au restaurant, ou au cinéma, non plutôt au restaurant, ils avaient tellement de choses à se raconter, pour rattraper le temps perdu.

*

Mathilde s'arrêta sur cette expression : rattraper le temps perdu. C'est ce qu'on dit quand deux personnes ne se sont pas vues pendant longtemps. Mais là, en l'occurrence, le temps perdu : c'était elle.

*

Mathilde avait du mal à suivre Iris ; ses jambes étaient tellement lourdes. Les médicaments, sans doute. Et cette fille marchait si vite ; la joie lui donnait des ailes. On peut mesurer le bonheur à la cadence de chacun dans la rue. C'est toujours bon signe d'être pressé ; on est forcément attendu quelque part. Iris remontait vers Pigalle ; il était plus que probable qu'elle allait rejoindre Étienne place de Clichy. C'était certain. Mathilde allait se confronter à cela. La vision de leur bonheur. Plus elle y pensait, plus elle avait du mal à avancer. Et Iris qui marchait de plus en plus vite. On aurait dit qu'elle courait. Mais non, elle avançait à un rythme régulier. Alors pourquoi la distance se creusait-elle ? Mathilde devait courir maintenant pour ne pas la perdre. Courir, oui courir. Mais comment ? Donner cet ordre-là à son corps lui était impossible ; tout paraissait si lourd ; en faisant un effort colossal, elle finit par rassembler toutes les forces de son corps, et se précipita vers la chaussée.

On entendit alors un crissement de pneus, et le bruit sourd d'un choc.

Mathilde avait traversé, sans même regarder les voitures.

Une femme aux réflexes impressionnants avait pilé au dernier moment pour ne pas l'écraser.

Effrayée, Mathilde était tombée à la renverse. Rapidement, des passants se regroupèrent autour d'elle. On tenta de la relever ; mais son corps était si lourd. On parvint finalement à l'asseoir sur un banc en attendant les pompiers. En état de choc, elle aussi, la conductrice s'approcha. Elle balbutia : « Mais vous avez traversé n'importe comment… j'aurais pu vous… et vous imaginez après ?… » On la regarda comme pour lui dire que ce n'était pas le moment de culpabiliser cette pauvre femme, mais tout de même, on devait aussi penser à elle, à sa frayeur, celle d'avoir presque tué quelqu'un. Mathilde redressa la tête pour la regarder. Elle ne parvenait pas à prononcer le moindre mot, se sentant comme une enfant qui vient de faire une énorme bêtise.

42

Après l'épisode de l'accident, les choses semblèrent rentrer dans l'ordre. Disons en tout cas que le désordre était contenu. Mathilde passa la plupart des autres journées au lit, allumant parfois la télévision pour y voir des émissions qui ne cherchaient pas à éveiller ses capacités intellectuelles ; la stupidité comme pansement pour l'esprit.

43

Elle avait décidé de ne pas prendre de cachet la nuit précédant son retour au lycée, quitte à mal dormir, pour ne pas être totalement engourdie. Finalement, elle avait traversé la nuit sans encombre et s'était levée heureuse à l'idée de reprendre le travail.

Avant de retrouver ses élèves, elle était passée dans le bureau de Berthier pour le remercier de ses messages quotidiens, et de son soutien. Elle avait bien senti qu'il s'était inquiété pour cette histoire de psychiatrie, alors elle avait ajouté à son « merci » quelques précisions :

« Je ne devrais pas vous le dire, mais la psychiatre qui m'a fait l'ordonnance est une amie... c'est ma voisine, pour être tout à fait honnête.

— Ah...

— Quelqu'un dans mon entourage a eu un grave accident, et je ne voulais pas laisser sa femme seule. Voilà pourquoi je me suis arrangée pour avoir un arrêt maladie.

— Ah bon ? Mais vous auriez pu me le dire...

— Je le fais maintenant. Je préfère être franche avec vous.

— Cela me touche beaucoup. Et ça me rassure.

Je dois vous avouer que j'ai été un peu surpris en recevant votre arrêt.

— Je comprends.

— Surtout que ce n'est pas dans vos habitudes. Enfin… je veux dire… vous paraissez si… forte.

— Je le suis, répondit Mathilde en souriant. Allez, je dois retrouver mes élèves, j'ai hâte. »

Elle quitta le bureau sans permettre à Berthier de répondre. Vu la tonalité de cet échange, comme une confidence, il aurait voulu en profiter pour lui demander si elle serait libre à dîner un soir.

44

Mathilde savait à présent une chose : elle pourrait souffrir, sombrer, être ravagée par la vie, il y aurait toujours un endroit où elle se sentirait à l'abri de la violence, comme protégée des agressions du destin. C'était ici, dans une classe, face à ses élèves.

Sa classe de première littéraire le lui rendit bien. Elle perçut quelques sourires bienveillants, on lui demanda si elle allait mieux, et on lui fit promettre de ne plus refaire ce coup-là car il y avait *le bac à la fin de l'année*. Mateo avait exprimé son soulagement. Il n'y avait pas de doute : elle était aimée. Pouvait-on remplacer une vie amoureuse par une vie professionnelle ? Le départ d'Étienne pouvait-il être comblé par une trentaine d'adolescents ? Il lui semblait que tous ces visages devant elle formaient comme un puzzle; en les rassemblant, elle y trouvait une cohérence humaine.

Il était temps maintenant de reprendre *L'Éducation sentimentale*.

Au tout début du roman, quand Frédéric Moreau rencontre Madame Arnoux sur un bateau, il veut tout savoir d'elle. L'écrivain précise que cette quête semble bien plus importante que la possession de l'autre. Le savoir devenant supérieur à l'avoir. Mathilde fit le silence dans sa classe pour lire cet extrait: « Le désir de la possession physique même disparaissait sous une envie plus profonde, dans une curiosité douloureuse qui n'avait pas de limites. »

Elle répéta plusieurs fois l'expression: « curiosité douloureuse ».

Puis, elle laissa ces deux mots se propager dans l'atmosphère. Tout cela en silence. Chacun semblait les accueillir avec une forme de dévotion. On entendait ici ou là chuchoter cette expression de la curiosité douloureuse. La professeure expliqua brièvement qu'il y avait quelque chose de résolument moderne dans ces deux mots, ce désir de tout suivre de la vie de l'autre s'étant énormément amplifié de nos jours. Bien sûr, elle faisait écho à ce qu'elle avait vécu récemment; ce besoin irrépressible d'aller observer Iris. Si Frédéric ne savait alors rien de Madame Arnoux, les intentions étaient les mêmes, dans la valse incessante qui pousse à découvrir ce qu'on ne connaît pas encore, et à vouloir savoir encore ce qu'on ne connaît plus. Nous ne sommes jamais rassasiés dans la connaissance de l'être aimé.

Mathilde mit ainsi fin au silence qui devenait pesant : « Il nous reste trente minutes de cours. Je voudrais que chacun d'entre vous écrive un texte à propos de cette expression de curiosité douloureuse. Dites-moi ce qu'elle évoque pour vous. Soyez, comme d'habitude, le plus libres possible. »

45

Le soir même, elle lisait les copies dans son lit. Une de ses élèves avait écrit :

« Chaque sentiment profond se transforme, tôt au tard, en douleur. »

46

Quelques jours passèrent, mais rien ne passait. Quand elle était seule, la souffrance de Mathilde était toujours aussi intense, et elle n'était pas près de s'estomper. Il lui arrivait parfois, pendant ses cours, de ne pas penser à Étienne durant deux ou trois minutes, et elle éprouvait comme un immense soulagement de ce répit. La plupart du temps, il ne quittait pas son esprit ; propriétaire d'un appartement laissé vacant.

47

Étienne n'avait pas répondu aux messages de Mathilde ; non par manque de compassion mais simplement parce qu'il estimait qu'il n'avait rien à dire. Sa décision était prise, elle causait de lourds dégâts sentimentaux, qu'ajouter à cela ? Continuer à voir Mathilde aurait été comme le prolongement de la zone marécageuse. On ne rompt jamais avec délicatesse. Cela ne l'empêchait pas de penser souvent à elle. Et même : il pouvait lui arriver de regretter son choix. Enfin, pas entièrement, un peu seulement, une attitude de Mathilde qui lui manquait subitement violemment, une façon de rire aux mêmes choses, et tous leurs souvenirs qui étaient amputés maintenant de leur cohésion ; car les souvenirs aussi souffrent de la garde alternée des mémoires ; quand il y a deux visions d'un même passé, cela le rend difforme. Mais la plupart du temps, il avait le sentiment de revivre[1]. Chaque jour semblait s'offrir à lui avec l'énergie d'une naissance. Il était heureux de tout ; aller au restaurant et se mettre côte à côte avec Iris lui paraissait

1. Atroce expression qui donne l'impression qu'on était mort avec la personne précédente.

miraculeux ; voir un mauvais film l'enchantait ; la pluie même ne mouillait plus.

48

Étienne finit par envoyer un message à Mathilde : « Je suis désolé de n'avoir pas répondu. Je pense qu'il était préférable d'agir ainsi. J'espère que tu vas bien. Je pense souvent à toi. Et je t'écris surtout pour une autre raison : est-ce que tu crois que je pourrais passer te voir ? Je voudrais que nous parlions. Étienne. »

Elle avait lu tellement de fois ce message. Tout y avait été analysé. La chaleur de « je pense souvent à toi » totalement gâchée par la froideur d'une signature non précédée d'un « je t'embrasse » ou du moindre signe d'affection. Ce simple texto était soumis à une exégèse digne des plus grands textes religieux. Étienne aussi avait sûrement pesé le pour et le contre de chaque mot ; il avait voulu être émotionnel sans pour autant laisser le moindre espoir. C'était raté. Malgré tout, le simple fait de recevoir ces quelques mots propulsait Mathilde dans le scénario d'un éventuel retour. Il voulait la voir, lui parler. Bien sûr qu'elle envisageait tout. Si cela se trouvait, il allait lui annoncer qu'Iris attendait un bébé ; elle savait que c'était possible ; mais au fond d'elle-même, elle se disait qu'il allait revenir. C'était une conviction. Ils s'aimaient trop.

Ils ne pouvaient pas ne plus s'aimer. Le désamour est une invention des aigris. Tout était compréhensible. L'autre était revenue, elle lui avait tourné la tête, mais Étienne s'était rendu compte finalement que c'était une girouette, qu'on ne pouvait rien construire avec elle, elle était déjà partie une fois alors pourquoi ne partirait-elle pas une deuxième fois ? L'excitation de la nouveauté pâlissait toujours, plus ou moins rapidement certes, mais elle pâlissait au point de devenir blanche, puis transparente. Il n'y avait plus rien de l'éclat initial.

Rien à voir avec leur histoire qui avait traversé le temps avec élégance. Souvent, ils s'étaient moqués des couples qui se parlaient mal ; ils ne comprenaient pas qu'on puisse vivre un amour sans continuer à se respecter ; à tout faire pour continuer à mettre du « premier jour » dans tous les autres jours. Quand l'un d'eux avait une saute d'humeur, il était interrogé : « Est-ce que tu m'aurais parlé ainsi au début de notre histoire ? » Les années avaient passé avec cette envie incessante d'être attentif à l'autre. Certes, il l'avait quittée ; mais pour des raisons annexes ; pour des raisons qui n'avaient rien à voir avec ce que tous les autres vivaient et qu'on appelle l'usure ou la lassitude. Elle en était certaine, il n'y avait eu entre eux ni usure ni lassitude. Forte de ce constat, qui était en grande partie exact, elle demeurait persuadée que leur amour battait d'une seconde vie.

Elle avait fini par répondre (plus rapidement qu'elle l'avait initialement prévu) qu'elle était bien sûr d'accord pour qu'il passe ; et ils avaient convenu d'un rendez-vous le lendemain soir ; c'était un samedi.

49

Dès le réveil, Mathilde plongea dans un tourbillon d'hésitations. Comment agir ? Se montrer distante ou chaleureuse ? Elle se dit assez vite qu'elle devait adapter son comportement à celui d'Étienne. Mais elle ne savait pas quelle attitude il allait adopter. Et tout d'abord, comment devait-elle s'habiller ? La robe bleue qu'il aimait tant ? Elle avait peur que cela soit ridicule, surtout si lui venait d'une manière décontractée. Elle finit par prendre cette décision : celle de préparer trois tenues différentes et de les disposer sur le lit. Quelques minutes avant l'arrivée d'Étienne, elle se posterait à la fenêtre en sous-vêtements. Elle habitait au quatrième étage, cela lui laisserait largement le temps d'aviser la façon (en tout cas vestimentaire) avec laquelle Étienne abordait ce rendez-vous, puis d'adapter sa tenue. Dans son esprit, cela lui éviterait de vivre le moindre décalage. Elle s'épuisait à force d'anticiper chaque souffle de l'autre.

Elle vit Étienne arriver en jean, pull, et baskets. Pas du tout une apparence de reprise de la vie conjugale, pensa Mathilde. Mais savait-on jamais? Elle avait bien fait d'élaborer son stratagème vestimentaire. Il était hors de question de mettre la belle robe bleue, du coup. Elle enfila un jean et un pull elle aussi. Il fallait rétablir une égalité; elle n'en pouvait plus de souffrir plus que lui.

Et elle courut dans la salle de bains pour se démaquiller.

50

Étienne frappa à la porte tout doucement; il aurait pu sonner, mais il savait que la sonnerie était stridente. Mathilde mit un peu de temps avant d'ouvrir; une façon grossière de faire semblant de n'être pas fixée sur son arrivée. En découvrant Étienne en face, son corps fut traversé par un spasme violent; comme un coup sec qui tranche le cœur ou une artère. Elle se dit aussitôt, avant même de pouvoir prononcer le moindre mot, qu'elle l'aimerait pour toujours. C'était effroyable. Ce sentiment évident que sa douleur ne pourrait jamais s'estomper s'il ne revenait pas. Il lui dit bonsoir en tendant une bouteille de vin; elle n'attrapa pas la bouteille, et ne répondit pas. Elle demeura figée quelques secondes avant de se ressaisir et de s'excuser. Oui, ce sont les premiers mots qu'elle prononça face à l'homme qui l'avait quittée: « Excuse-moi. »

Elle voulait être calme, et montrer que tout allait bien. Mathilde avait bien sûr rangé l'appartement, et mis en évidence sur le buffet deux places de théâtre pour une pièce qu'elle n'irait jamais voir. C'était le seul élément matériel qui pourrait prouver à Étienne qu'elle sortait encore, que tout allait bien. Comme elle emmenait souvent ses élèves au théâtre, elle recevait régulièrement des invitations. Étienne vit les places (on ne pouvait pas ne pas les voir) et l'interrogea sur ce spectacle. Sans même savoir de quelle pièce il s'agissait, Mathilde s'enthousiasma : « Oui, je suis très heureuse d'avoir obtenu des places. »

Il continua d'observer l'appartement, et cela lui parut surréel d'avoir vécu ici tant d'années. Il avait le sentiment de voyager sur les traces d'un autre homme, un autre Étienne. Tandis qu'il arpentait le salon, Mathilde l'observait. Ce n'était pas possible. Il était encore plus beau qu'avant ; il semblait presque aérien. Lui qu'elle avait vu stressé et au bord de l'implosion pendant des semaines (elle avait finalement compris pourquoi) respirait une insoutenable sérénité. Il n'y a plus d'espoir, pensa-t-elle. Il paraît si heureux ; impossible qu'il vienne m'annoncer son retour. Pourtant… il y a quelque chose dans son œil. Pas une tristesse, non. Une mélancolie peut-être. Une nostalgie. Ou peut-être est-ce juste l'appréhension du moment ? Au fond, elle ne savait rien de ce qu'il allait dire.

Il ouvrit la bouteille de vin, servit deux verres, et ils se dirent : « santé ». Désespérée, Mathilde avait été à deux doigts de faire de l'humour noir en disant : « À nos amours ! » mais elle s'était retenue au dernier moment. Ils échangèrent alors un sourire furtif, et rien ne pouvait être plus pathétique. Ne supportant pas le moment, Mathilde se leva subitement :

« Pardon… je vais finir de me maquiller si cela ne te dérange pas.

— Non, je t'en prie, dit-il avant d'ajouter : tu sors ce soir ?

— …

— …

— Oui. Oui… je vais au restaurant avec des amis. »

Face au miroir de la salle de bains, Mathilde pensa : « Cet homme qui est dans mon salon n'a donc pas pensé une seule seconde que je me maquillais pour lui. » Elle passa un peu de poudre sur ses joues, et ce geste lui donna la force de ne pas pleurer.

Quand elle revint, elle constata que la bouteille était largement entamée. Étienne avait dû boire deux ou peut-être trois verres déjà[1]. Malgré son apparente désinvolture, le moment était forcément compliqué pour lui. Il revenait voir une femme

1. Mathilde n'arriva pas à savoir s'il avait bu très rapidement ou si elle s'était attardée dans la salle de bains.

qu'il avait meurtrie par sa décision ; une femme avec qui il avait passé de merveilleuses années ; et voilà maintenant qu'aucun mot ne sortait de sa bouche. À vrai dire, tous les mots étaient présents en lui, il les avait répétés plusieurs fois avant de venir, il n'y avait aucune improvisation ; les mots étaient simplement comme des acteurs le soir d'une première représentation ; envahis par le trac, car le public est présent ce soir-là.

Alors qu'il pensait évoquer immédiatement la raison de sa visite, il sentit qu'un préliminaire était nécessaire. Et il en avait besoin lui aussi. Il voulait qu'ils se disent des choses simples. Étienne demanda donc :

« Comment vas-tu ?

— Bien.

— C'est vrai ?

— Ça dépend des jours, bien sûr… mais oui, ça va. »

*

Si Mathilde avait été animée par un désir de vérité, le dialogue aurait été différent :

« Comment vas-tu ?

— Mal. Très mal. Je meurs depuis ton départ. Je ne sais pas comment je vais pouvoir vivre sans toi. Et te voir ici accentue ma souffrance. Tu es si beau Étienne. Tu me manques tant. Chaque matin, chaque soir, chaque minute. C'est atroce. Tu ne peux pas me faire ça. On s'aime. Dis-moi qu'on s'aime. Depuis que tu es parti, je ne sais plus qui je suis. Je prends des médicaments pour dormir, et puis d'autres pour me réveiller. Je m'accroche pour ne pas sombrer. Voilà comment je vais.

— C'est vrai?

— Oui c'est vrai. Et ça ne dépend pas des jours. C'est tout le temps comme ça. Et je sais que ça durera toujours. »

*

Dire la vérité, c'était faire fuir l'autre. Mathilde n'a pas le choix; elle minimise chacune de ses pensées. Mais elle ne doit pas sembler indifférente non plus. Elle doit faire comprendre à Étienne qu'elle n'espère qu'une chose: son retour. Tout est si compliqué. Elle donnerait n'importe quoi pour avoir le mode d'emploi du geste juste.

Le mieux est d'entrer dans le concret.

Et c'est ce que fait Étienne à présent.

Le royaume infernal des hypothèses va s'effondrer:

« Voilà… c'est un peu délicat, ce que j'ai à te dire.

— …

— Tu m'écoutes?

— Oui, bien sûr.

— Cela a été très difficile de partir…

— Difficile pour qui?

— Oui pardon, c'est maladroit. Enfin, tu sais que ce fut une décision douloureuse pour moi aussi…

— …

— En tout cas, je voulais te faciliter les choses au maximum. C'est pour ça que je t'ai proposé de garder l'appartement, et de continuer à payer ma part du loyer…

— Que veux-tu me dire exactement ?

— Je veux te dire… que… c'est trop compliqué pour moi. Je n'ai pas les moyens. Pour l'instant, je vis chez un ami, mais je vais prendre un nouvel appartement et…

— Tu vas emménager avec elle ?

— …

— Réponds-moi. Tu vas emménager avec elle ?

— Oui.

— C'est donc ça ce que tu es venu me dire ? Tu vas vivre avec elle… et tu voudrais que je parte d'ici.

— Oui… enfin, ce n'est pas pressé… je veux dire… tu dois faire au mieux pour toi.

— Au mieux pour moi ?

— Oui.

— Dans ce cas-là, je veux que tu partes maintenant.

— Maintenant ?

— Oui. Tu te lèves et tu t'en vas. Et le jour où tu viens faire des cartons, et prendre tes affaires, je veux que tu me préviennes. Je ne veux pas être là. C'est la dernière fois que je te vois. »

Étienne avait été soufflé par la froideur du ton de Mathilde. Elle s'était exprimée d'une voix calme et sans hystérie. On aurait dit comme la version verbale d'un meurtre. Ne pouvant plus soutenir le regard de Mathilde, Étienne se leva et quitta l'appartement sans un mot. Un peu plus tard dans la soirée, alors qu'il dînait avec Iris, il se sentait toujours en état de choc.

51

Mathilde marchait dans le couloir qui menait à sa classe. Depuis quelques jours, il lui paraissait de plus en plus long.

52

À la fin du cours, alors que les élèves rangeaient leurs affaires, Mateo s'était approché de Mathilde. Il aimait avoir cette relation privilégiée avec sa professeure de français ; parfois, on le traitait de « fayot », mais cela n'avait aucune importance à ses yeux. Il voulait évoquer un détail concernant une attitude de Madame Arnoux dans *L'Éducation sentimentale*.

Depuis sa dernière discussion avec Étienne, Mathilde avait repris des cachets. La psychiatre lui avait à nouveau prescrit des antidépresseurs ; elle les prenait d'une manière anarchique, ne respectant que vaguement la posologie. Pourtant, personne ne remarquait le moindre changement au lycée. On la trouvait égale à elle-même, souriante et impliquée. Peut-être, ici ou là, certaines attitudes pouvaient paraître étranges, comme quand on l'avait vue parler seule dans sa classe ; mais il n'y avait rien d'alarmant. Son amie Sabine la trouvait aussi un peu distante, mais il fallait sûrement mettre cela sur le compte de la lassitude amicale. L'usure n'existait pas qu'en amour. On pouvait, au bout d'un moment, surtout quand on déjeune presque tous les jours avec la même personne, éprouver le sentiment que les conversations se transforment en impasses. Et c'est une sensation qui peut s'aggraver dans le contexte professionnel, quand les discussions tournent sans cesse autour des autres collègues et des histoires récurrentes d'un milieu clos. Certes, Sabine faisait respirer leurs échanges de quelques témoignages croustillants et autres détails sur sa vie sexuelle, mais cela avait précipité la fuite de Mathilde. Elle ne supportait pas qu'on lui raconte la moindre anecdote concernant une histoire sentimentale. Pourtant, elle avait été tentée un soir de s'inscrire sur un site de rencontres. Sabine lui avait expliqué que les applications s'appuyaient sur une localisation géographique. Elle était seule, délaissée, elle imaginait Étienne avec Iris, alors oui, elle avait failli s'inscrire, non pour avoir un rendez-vous ou parler, juste pour trouver un homme qui la prendrait sans lui poser de questions, cela l'avait presque excitée l'espace de quelques secondes, puis elle était retombée dans la réalité de ce qu'elle éprouvait : l'idée même d'être touchée par un homme lui donnait la nausée.

Ainsi, elle s'était légèrement écartée des autres.
Et elle trouvait les couloirs plus longs.
Mais, à part cela, tout était comme avant.

Revenons à Mateo.
Il s'était approché avec son livre, pour avoir une précision concernant Madame Arnoux :
« Excusez-moi... je voulais vous demander votre avis à propos de l'attitude de Madame Iris.
— ... »
Mathilde avait giflé violemment le jeune garçon, sous le regard médusé des élèves encore présents dans la classe. Choqué, il s'était effondré contre le mur. Il était demeuré hébété pendant quelques secondes avant de laisser les larmes envahir son visage. Mathilde, elle aussi, était restée un instant sans bouger, avant de se précipiter vers Mateo en s'excusant. Affolée, elle ne savait que faire. Elle avait tenté de le relever, expliqué qu'elle ne savait pas ce qui s'était passé dans sa tête, alors qu'elle le savait très bien, elle avait entendu Mateo lui parler d'Iris, elle n'était pas folle, ce n'était pas possible, il avait bien dit Iris, elle l'avait entendu, si elle l'avait entendu, c'est qu'il l'avait dit.

Un élève partit chercher Monsieur Berthier. Il comprit aussitôt la gravité de la situation, car Mateo avait la joue rouge et enflée. La gifle avait été extrêmement violente. Il demanda qu'on accompagne le garçon à l'infirmerie. Mathilde le regarda partir tout en continuant à s'excuser, mais aucun son ne sortait réellement de sa bouche.

53

Mathilde se tenait, hagarde, dans le bureau du proviseur.

« Vous voulez boire un thé ?

— …

— Madame Pécheux, vous voulez boire un thé ?

— Non merci.

— Que s'est-il passé ?

— …

— Il va falloir m'expliquer…

— …

— C'est très grave tout de même. On ne frappe pas un enfant comme ça…

— Il n'a rien fait.

— Vous l'avez giflé sans raison ?

— Oui.

— Écoutez, vous devez être plus précise. Les parents vont sûrement porter plainte. Je peux peut-être l'empêcher. Vous protéger. Mais il faut m'aider.

— Je n'ai rien à dire. Je ne sais pas pourquoi…

— Vous avez des problèmes en ce moment ?

— Non.

— Je suis si triste de ce qui vient de se passer. Vous allez bien réfléchir à ce que vous voulez dire ou non. Mais demain, vous ne pourrez pas revenir.

Vous allez être mise à pied. Je vais tout faire pour vous défendre, vous le savez. Je vais dire qu'il s'agit d'une question de surmenage. Vous avez besoin de repos… voilà. Et puis j'espère que la sanction ne sera pas trop lourde. Ce qui m'ennuie un peu… je l'avoue… c'est que vous avez agi devant une classe. Il y a de nombreux témoins. Cela complique encore la situation.

— …»

Mathilde ne savait que dire. Elle-même était en état de sidération. Jamais elle ne s'était montrée violente avec quiconque. Mais elle avait bien entendu les mots de Mateo. Il avait dit: «Iris». Elle tentait de s'accrocher à cette hypothèse qui pourrait justifier un peu son geste, mais elle savait très bien que c'était illusoire; il ne pouvait avoir prononcé ce prénom. Elle devait se rendre à l'évidence: elle avait entendu une voix. C'était une hallucination.

54

Allongée dans l'obscurité, ce soir-là, Mathilde comprit qu'il ne servirait à rien de se battre. La vie ne tolérait pas les brouillons. Elle aurait beau s'excuser pour sa seconde de dérapage, elle avait commis l'irréparable professionnel. Des années de bienveillance balayées subitement par une distorsion éclair de sa lucidité. Ce qui allait advenir lui paraissait disproportionné; face à cette injustice, elle n'avait même pas la force d'éprouver de la rage.

55

Elle décida de descendre voir le docteur Namouzian. À nouveau, sans rendez-vous. Avec le risque encore de déranger cette femme en dehors de ses heures de travail. Mais Mathilde avait besoin de parler à quelqu'un. Elle aurait pu descendre dans la rue, et agripper la première oreille venue, comme le font les fous.

Sophie Namouzian venait de finir de dîner. Elle était seule comme la plupart des soirs. Elle ouvrit la porte, sans véritable surprise. Quand on accepte une première visite nocturne, on sait qu'il y en aura forcément d'autres. Mathilde commença par s'excuser, et promit qu'elle ne resterait pas longtemps. Mais au moment où elle prononçait ces mots, elle fut saisie par une impression étrange : cette femme devant elle n'avait pas l'air bien. Cela lui parut totalement incongru. Il y a comme une obligation du médecin à être toujours bien portant ; du psychiatre à être dans une relation épanouissante à la vie. Mathilde s'attendait peut-être à être reçue par une sorte de sage survolant les contingences du quotidien nimbé d'une éternelle aura spirituelle. La vérité était plus pragmatique ; la psychiatre était épuisée par sa journée de travail, et n'avait qu'une envie : laisser agoniser ses neurones devant la télévision. Elle ne se sentait pas en mesure de produire la moindre séance constructive, mais elle n'avait pas le choix. Elle devait accueillir cette voisine qui sombrait sous ses yeux.

Ne voulant pas traiter sa voisine en patiente, la psychiatre proposa un thé encore une fois. Elles le burent dans la cuisine. À vrai dire, il s'agissait d'une infusion « Nuit Calme ». Si seulement c'était vrai, pensa Mathilde. Si seulement on pouvait boire le programme de nos prochaines heures. Elle rêvait de cette nuit calme, et cette boisson allait lui offrir l'espoir de la vivre. En vain, elle buvait un mensonge.

« Comment allez-vous ? demanda la psychiatre.

— C'est horrible. J'ai giflé un élève.

— Expliquez-moi ce qui s'est passé.

— C'est un enfant que j'aime énormément. J'ai cru qu'il me parlait d'autre chose. De la femme avec qui est parti Étienne. Je ne sais pas pourquoi… alors qu'il parlait de Madame Arnoux…

— Madame Arnoux ?

— Oui… dans *L'Éducation sentimentale*… enfin, peu importe…

— C'est très fréquent, vous savez. Quand on est obsédé par une situation, on la voit partout.

— J'ai réagi si violemment. Ce n'était pas moi.

— Je comprends. Mais vous avez subi un choc émotionnel très grave. Et cela a des conséquences, forcément.

— Lesquelles ?

— Celle que vous venez de me raconter, par exemple. C'est un glissement du réel.

— Le réel… j'ai l'impression qu'il s'échappe, c'est vrai. Pourtant, je me sens si lucide maintenant. Est-ce que ça peut être lié aux médicaments que vous m'avez prescrits ?

— Non. Ils sont censés vous apaiser. Encore une fois, ce que vous traversez me paraît être une conséquence de votre traumatisme.

— Vous cherchez à me rassurer, mais je crois bien que je suis en train de devenir folle.

— Si vous étiez folle, vous ne seriez pas effondrée par votre geste. Vous tenteriez de le justifier.

— Vous pensez que les choses vont rentrer dans l'ordre ?

— Oui. Cela mettra du temps. Il vous faut du courage, et être aidée.

— …

— Vous avez des gens autour de vous ? De la famille ? Des amis ?

— Pas vraiment.

— Vous ne m'avez pas dit la dernière fois que votre sœur était venue vous voir ? Elle s'inquiétait pour vous, j'imagine.

— Ma sœur ?

— Oui.

— Nous ne sommes pas si proches que ça.

— Bon, en tout cas, je suis là si vous en avez besoin. Vous traversez une mauvaise passe. Prenez un somnifère ce soir. Vous devez dormir… »

Mathilde voulut dire merci, mais n'y parvint pas. Elle trouvait bien sûr que cette psychiatre était bienveillante, mais elle ne pouvait s'empêcher de ressentir autre chose en l'observant. C'était comme caché dans son œil. Il fallait être attentif pour le déceler, mais Mathilde en était capable. Elle voyait une forme de réjouissance dans l'iris de la psychiatre. Cette femme, sous ses airs désolés, se réjouissait sûrement du malheur des autres. C'est pour ça qu'elle lui ouvrait sa porte, pour prendre son pied encore un peu ; une petite bénédiction du soir. Peut-être même qu'elle lui donnait des cachets trafiqués, voilà pourquoi elle avait frappé le petit, fallait surtout arrêter ces saloperies, ah oui, tout s'expliquait maintenant, elle lui disait de prendre un somnifère pour bien l'abrutir, c'était fini tout ça, elle ne viendrait plus jamais la voir. Et quand elle la croiserait dans l'escalier, elle ne lui dirait plus bonjour.

56

L'enquête fut extrêmement rapide et la sanction immédiate : pour avoir porté un coup à un élève, Mathilde fut suspendue jusqu'à nouvel ordre. Sa raison de vivre disparaissait. Pourtant, elle avait bataillé pour éviter la sanction. Elle était allée voir les parents de Mateo pour qu'ils ne portent pas plainte, et elle les avait convaincus. Mais il y avait trop de témoins, il aurait été très compliqué de la maintenir à son poste vu ce qui s'était passé. Par ailleurs, un autre élément avait joué en sa défaveur : la fameuse ordonnance de son premier arrêt maladie. Dans le doute, après l'épisode de la gifle, Berthier avait contacté la psychiatre ; cette dernière lui avait confirmé avoir prescrit un arrêt de travail d'une semaine. Le proviseur avait donc conclu que Mathilde lui avait menti, puisqu'elle consultait bien cette psychiatre ; compte tenu de ce nouvel élément, il ne pouvait pas se permettre de la défendre. Il sentait bien que, malgré ses dénégations, sa professeure était devenue fragile et instable. Berthier avait tout fait pour la consoler quand elle avait appris la nouvelle : « C'est l'affaire de quelques semaines… ça vous permettra de vous reposer… repartir sur de bonnes bases… et je suis là pour vous… il y aura toujours une place ici, je vous le promets… », avait-il fini par dire tout en sachant qu'il serait à présent très difficile pour Mathilde de réintégrer cet établissement.

57

Le jour où elle avait pris acte de sa sentence, elle avait pleuré pendant des heures. Sa souffrance à elle, il lui semblait qu'elle pouvait la surmonter, mais délaisser ses élèves la violentait atrocement. Comment allaient-ils faire sans elle ? Surtout le pauvre Mateo, qui avait tant besoin d'elle. Non seulement, elle avait dû le traumatiser, mais elle avait peur qu'il sombre à nouveau. Sa culpabilité n'en finissait plus.

Quelques jours plus tard, elle apprit que sa remplaçante avait commencé l'étude d'un nouveau roman, sans même finir *L'Éducation sentimentale*. Flaubert mourrait dans l'inachèvement.

58

La psychiatre avait parlé de « mauvaise passe ». Comme souvent, Mathilde avait besoin de vérifier l'exactitude des mots. Le dictionnaire lui semblait parfois le seul espace de fiabilité. Elle avait vérifié la définition exacte de cette expression. Cela l'intriguait. Voici ce qui était écrit : « Période difficile dans la vie d'une personne, qui est temporaire ou que l'on veut considérer comme telle. » C'était donc ça. Pour la période difficile, elle confirmait. C'était le moins qu'on puisse dire. Si le mot « temporaire » était rassurant, il pouvait être angoissant aussi. Qui pouvait prédire la durée d'une mauvaise passe ? Quand on vivait une période difficile, elle pouvait durer toute une vie. Ou alors, avoir des conséquences sur toute la suite de sa vie.

59

Vint le jour où Étienne passa reprendre ses affaires. Dans deux semaines, elle devrait quitter l'appartement. Elle ne savait pas où elle irait. Elle n'était pas en mesure de chercher, impossible d'envisager le moindre lendemain. Pour le moment, elle avait décidé de passer la journée dans un café du quartier. Il était hors de question de le croiser ou de croiser ses amis qui l'aideraient. En fin de journée, elle était remontée chez elle, dans leur ancien appartement à tous les deux, et il était maintenant définitivement amputé de sa présence à lui. C'était comme une violence ajoutée à la violence que de contempler ce décor à moitié vide. Il s'agissait de la parfaite incarnation physique de ce qu'elle vivait. Un univers incomplet et bancal. Pour achever cette contemplation du désastre, elle se rendit compte qu'il avait laissé tous leurs souvenirs communs ; il n'avait rien emporté de leur histoire. Les cadres avec des photos, les coussins achetés ensemble, les souvenirs de vacances, tout, tout était resté là, comme si elle devait se débrouiller seule avec ce passé devenu trop pesant pour lui.

60

Les jours qui suivirent se mélangèrent les uns aux autres pour ne former qu'une seule journée à la durée baroque. Mathilde n'avait plus de repères, ne répondait plus au téléphone, ne sortait même plus pour faire des courses. Elle se laissait dériver. Il lui semblait entendre frapper à la porte, mais elle n'en était pas certaine. Après tout, elle avait giflé un élève dont elle avait imaginé les propos. Alors qu'est-ce qui prouvait que ce qu'elle entendait était réel ? Pourtant, quelqu'un était bien en train de frapper à la porte, et de plus en plus fort. Morte d'inquiétude, Agathe avait fini par appeler les pompiers. Elle avait alors découvert sa sœur dans un état proche de l'hébétement, tel un animal apeuré.

61

Il fallut de nombreuses heures à Mathilde pour recouvrer ses esprits. Puis elle s'était mise à pleurer dans les bras de sa sœur, et cette dernière avait soufflé des mots réconfortants. Elle lui avait fait couler un bain, et lui avait lavé les cheveux. Mathilde avait fini par dire :

« Tu ne veux pas venir avec moi dans le bain ?

— Là ?

— Oui. Comme quand on était petites. »

62

Agathe fit des courses pour remplir le réfrigérateur vide de sa sœur, et rangea l'appartement.

Le décor avait repris une apparence normale ; on effaçait les traces du ravage. Mathilde mangea un peu et finit par la remercier.

« Tu aurais dû m'appeler, dit Agathe en refrénant son agacement.

— Je sais.

— Tu le sais, mais tu ne veux pas l'entendre.

— Je ne veux pas t'embêter. Tu as ta vie. Tu as Lili.

— Comment peux-tu dire ça ? Tu souffres. Tu ne crois pas que je le ressens ?

— Oui.

— Nous sommes sœurs.

— Je sais.

— Il faut qu'on parle.

— De quoi ?

— Je sais que tu dois rendre l'appartement dans quatre jours.

— Déjà ?

— Oui. Tu as prévu quelque chose ?

— …

— Bon, tu vas venir à la maison. On mettra le lit de Lili dans notre chambre, le temps que tu trouves quelque chose.

— Tu es sûre ?

— Bien sûr. Tu n'es pas en état d'être seule. Je vais m'occuper de toi. Tu vas aller mieux. Et on te trouvera un appartement. Tu vas te reconstruire[1].

1. Mathilde pensa que c'était enfin un mot juste. « Je dois me reconstruire, oui, car je suis détruite. »

— Tu as toujours été tellement positive.

— Mais toi aussi, tu l'es. Bon d'accord, là, ça ne se voit pas… » dit-elle en réprimant un rire.

Et puis finalement le rire décida d'exister. Entraînant avec lui celui de Mathilde. Il y avait si longtemps qu'elle n'avait pas ri. C'était nerveux, incontrôlable, mais si bon. Les deux sœurs semblaient se comprendre. Mathilde s'en voulait de n'avoir pas sollicité plus tôt l'aide d'Agathe. Elle avait pensé être en mesure de surmonter ses épreuves toute seule, et voilà comme elle avait fini : terrée au milieu de son salon ; enterrée vivante.

63

Agathe était si pragmatique. On parla des aspects pratiques du déménagement. Mathilde allait mettre ses meubles dans un garde-meubles, et ne prendrait que ses vêtements. Son mari, Frédéric, louerait une camionnette et s'occuperait de tout. Elle pouvait leur faire confiance. Elle n'était plus seule pour affronter ses difficultés.

64

Elle jeta un dernier regard vers le salon avant de fermer la porte.

Elle voulait observer encore un peu cette vie qui n'existerait plus.

Et enfin elle quitta les lieux.

Tout était fini.

DEUXIÈME PARTIE

1

Mathilde resta une longue partie de la nuit les yeux ouverts. Elle se repassait le film des derniers mois. Depuis la Croatie jusqu'à cette nuit, ici, où elle dormait dans la chambre d'un bébé. Des étoiles d'un été merveilleux à d'autres étoiles, maintenant, collées sur un plafond. Oui, elle observait ces pastilles bon marché qui rappelaient l'atmosphère d'une constellation. Mathilde se laissa envahir par cette beauté factice, avant de se ressaisir : « Elles sont belles, oui, mais elles sont fausses. »

2

Dormir dans une chambre de bébé. Fallait-il y voir un symbole ? On aurait pu y déceler les prémices d'une renaissance, le décor idéal au nouveau départ. Mais Mathilde se sentait très éloignée de toute cette thématique. Bien au contraire ; alors qu'elle était allongée sur son lit sans bouger, immobile, elle avait l'impression de chuter encore. Elle ne voyait aucune raison d'espérer la moindre amélioration. Chaque jour passé sans Étienne lui paraissait une raison de vivre en moins.

3

Au petit matin, Agathe ouvrit doucement la porte de la chambre pour voir si tout allait bien. Elle avait agi exactement comme avec sa fille, entrant sans frapper. Mathilde avait rapidement fermé les yeux, pour éviter la moindre conversation. Elle attendrait que tout le monde quitte l'appartement pour pouvoir sortir de son refuge. Une heure plus tard, c'est ce qu'elle fit. Elle découvrit un petit mot sur la table : « Il y a du café et du pain pour ce matin. N'hésite pas à me téléphoner si tu as besoin de quoi que ce soit. Je rentrerai avec Lili vers 18 heures. À ce soir ma sœur chérie. Agathe. » Est-il possible que la gentillesse soit insupportable ? Ce mot adorable, dégoulinant d'attention délicate, la dégoûtait presque. Elle y percevait des relents de supériorité, on s'adressait à elle comme à une demeurée.

L'agressivité de Mathilde était compréhensible. On cherche forcément un bouc émissaire à ses souffrances ; Agathe était parfaite dans le rôle. Puis, dans un revirement incessant de son esprit fatigué, elle se reprocha ses pensées. Qu'aurait-elle fait sans sa sœur ? Il était étrange, peut-être, de se dire que c'était son errance qui les rapprochait. Cela faisait si longtemps qu'elles n'avaient pas passé du temps ensemble. Avec les années, leur relation était devenue superficielle. Leurs dernières rencontres avaient tourné autour de Lili. Étienne aussi était venu parfois. Mathilde espérait que ça lui donnerait envie, à lui aussi, d'avoir un enfant. Elle se souvenait de son émotion quand il tenait la petite dans ses bras ; une image qu'il lui fallait maintenant chasser de sa mémoire.

La naissance de Lili avait donc été l'occasion pour les deux sœurs de se fréquenter un peu plus ; mais leur manque d'affinités ne s'était pas réduit pour autant. Finalement, *le fait d'être sœurs* était l'unique slogan de leur union.

4

Mathilde entra dans la chambre du couple. Elle resta un instant assise sur le lit, regardant autour d'elle. Elle finit par ouvrir un tiroir. Elle tomba sur les petites culottes de sa sœur. En continuant un peu à fouiller, elle découvrit le reste de sa lingerie. Mathilde avait du mal à imaginer sa sœur en porte-jarretelles ou en body. C'était toute une vie sexuelle qui était dans ce meuble. Elle imaginait Agathe tentant d'exciter Frédéric par des tenues érotiques; tout cela devait être un peu pathétique.

Elle passa la journée à violer leur intimité, découvrant puis lisant les lettres qu'ils s'écrivaient au début de leur histoire. Elle avait envie de se moquer; sa souffrance la plongeait dans le sarcasme ou une ironie mauvaise envers le bonheur des autres. Mais au bout d'un moment elle fut rattrapée par une atroce évidence: ces deux-là s'aimaient, ces deux-là étaient heureux. Ils étaient exactement ce qu'elle n'était plus. Elle se mit à pleurer.

En rentrant, Agathe trouva sa sœur en larmes. Elle allait se précipiter vers elle, mais son mouvement fut refréné par la vision de ses lettres éparpillées sur le sol.

«Tu as lu nos lettres?

— Oui, pardon.

— Écoute, Mathilde, on est là pour toi. On t'héberge. Mais ça ne se fait pas de fouiller dans les affaires des autres.

— Je sais… tu m'en veux?

— Non, ça va.

— Tu es sûre?

— Oui.

— Je te promets, je ne le ferai plus. Ne le dis pas à Frédéric, s'il te plaît.

— Pourquoi?

— Il est tellement gentil. Ça ne doit pas être facile pour lui que je sois venue m'installer… alors, je ne voudrais pas…

— Je ne lui dirai rien.
— Merci.
— Allez, arrête de pleurer.
— Vous êtes si beaux.
— Quoi ?
— Votre histoire est magnifique. Je ne m'en étais pas rendu compte avant. Frédéric t'a écrit de si belles choses…
— Oui… c'est vrai, répondit Agathe en pensant furtivement qu'il y avait bien longtemps que son mari ne lui écrivait plus.
— Tu peux vraiment compter sur lui.
— Oui. »

Lili s'approcha de sa mère en rampant. Quand elle avait ouvert la porte de la chambre et découvert Mathilde en pleurs, Agathe avait posé au sol son bébé. Lili était maintenant dans ses bras. Mathilde considéra qu'il fallait dire quelque chose, trouver un compliment. Elle finit par souffler, avec une admiration un peu trop appuyée : « C'est fou comme elle se déplace bien. Je suis sûre qu'elle va marcher très tôt. »

5

Un peu plus tard dans la soirée, Agathe se dit qu'elle n'aurait pas dû aller travailler. Sa sœur était en pleine détresse psychologique, il ne lui fallait pas simplement un toit mais une présence. Elle ne lui en voulait plus d'avoir fouillé dans ses affaires ; un fait que, comme promis, elle ne rapporterait pas à son mari. Frédéric était déjà adorable d'accepter la situation, vu la taille de leur appartement. D'autant plus qu'il avait très mal dormi, avec la présence de Lili près de leur lit. Il s'était senti vaporeux une partie de la journée, alors qu'il était en pleine préparation d'un colloque sur l'intelligence artificielle. Depuis quelques mois, il avait intégré une société qui commercialisait des appareils connectés dits « intelligents », et qui réfléchissait sur leur évolution à venir. Cela le passionnait ; mais, quand il en parlait, son entourage ne comprenait pas tout. C'était le cas d'Agathe tout du moins. Elle aussi venait d'être embauchée par une nouvelle banque en tant que conseillère. Contrairement à son mari, son métier ne la passionnait pas vraiment, mais il fallait bien gagner sa vie, se disait-elle. Ainsi, leur couple était une union assez classique de la rêverie et du pragmatique.

Le lendemain matin, Agathe appela son agence en déclarant qu'elle se sentait mal. Elle emmena Lili à la crèche, et rentra à la maison avec de quoi préparer un brunch. Elle avait acheté tout ce qu'aimait Mathilde ; cette dernière se réveilla émerveillée par tant de bienveillance. « J'ai tellement de chance de t'avoir », souffla-t-elle. Elles se serrèrent dans les bras. Ce n'était pas arrivé depuis des années.

Agathe avait prévu le programme de la journée : « On va s'occuper de toi aujourd'hui, ça te fera du bien j'en suis sûre. On va aller chez le coiffeur, l'esthéticienne, et on pourrait se faire un hammam.

— Je ne suis pas sûre d'avoir envie de tout ça...

— Tu n'as pas le choix ! Je suis ta grande sœur et tu dois m'écouter.

— ... »

Mathilde accepta. Au moins d'aller chez le coiffeur. Elle doutait fort qu'avoir les cheveux propres l'aiderait à se sentir mieux, pourtant elle dut avouer a posteriori que cela l'avait détendue. Elles étaient allées ensuite dans un salon de massage pour se faire faire un gommage ; comme à son habitude, Mathilde s'arrêta sur ce mot : gommage. Une façon de se débarrasser de son ancienne peau. C'était illusoire bien sûr. Le départ d'Étienne lui laisserait une marque indélébile.

Elles rentrèrent boire un thé. Sur le canapé, un plaid sur les genoux, Agathe proposa de regarder des photos de leur enfance. Mathilde voulait faire des efforts, donner des gages à sa sœur quant à son envie de s'en sortir. Alors elle disait oui à tout. Même si se replonger dans leurs souvenirs lui donnait presque la nausée. Agathe s'extasiait d'une manière appuyée sur tel ou tel moment de l'adolescence, tentant de rendre extraordinaires les moments les plus insipides. On offre si facilement aux anecdotes du passé une saveur quasi mythologique. Agathe riait en se remémorant des moments pas drôles ; cela agaçait Mathilde, mais elle ne le montrait pas. Elle faisait mine de sourire aussi, mais si sa sœur avait été un tant soit peu perspicace, elle se serait rendu compte de cette arnaque au zygomatique. Mathilde fut en tout cas frappée par une chose : sur les photos, Agathe paraissait toujours plus heureuse qu'elle. Parce qu'elle aimait sourire devant l'objectif ? Non, il semblait que sa joie de vivre était plus visible. C'était un élément qui ne sautait pas aux yeux. Durant leur enfance, personne n'avait jamais dit que la grande était plus épanouie que la petite, au contraire, on disait souvent qu'elles étaient d'égale humeur. Alors, pourquoi Mathilde percevait-elle cela maintenant ? C'était infime sûrement, mais elle ne voyait que ça à présent. Il lui semblait évident qu'on pouvait déjà lire à l'époque qu'Agathe serait davantage douée qu'elle pour le bonheur.

Telle une animatrice de club de vacances, Agathe proposait maintenant d'aller arroser les plantes sur le balcon ; elle parlait de ses fleurs comme s'il s'agissait de ses autres enfants. Elle adorait ses géraniums et davantage encore les lierres qui encadraient intégralement sa petite terrasse. Mathilde ne se souvenait pas de cette passion d'Agathe pour les fleurs ; en tout cas, elle n'en avait jamais parlé avant. C'était sûrement venu avec le couple, le mariage, l'appartement. C'était tout de même un peu ridicule de s'extasier ainsi sur ces six mètres carrés tout comme elle l'aurait fait pour un domaine de douze hectares. Elle arrosa *avec amour* tous les pots, car les fleurs avaient *très soif*. Mathilde se dit que le bonheur résidait peut-être là, dans l'accomplissement de tâches matérielles ; elle ne jugeait pas négativement l'enthousiasme floral de sa sœur ; au contraire, il y avait à l'évidence un plaisir à organiser la beauté.

« Viens m'aider pour les lierres. Je dois les tailler un peu, sinon ça tombe chez le voisin du dessous.

— D'accord. Je dois faire quoi ?

— Juste bien me tenir. Habituellement, c'est Frédéric qui le fait. »

Agathe monta alors sur un escabeau avec ses grands ciseaux. Mathilde s'approcha d'elle pour la maintenir au niveau de la taille. Elle était surprise de constater que sa sœur n'éprouvait ni peur ni vertige ; le balcon était tout de même au huitième étage. Il y avait quelque chose de fascinant dans ce mépris du danger.

« Tu n'as pas peur ? demanda Mathilde.

— Non, j'ai l'habitude. Et puis tu me tiens bien.

— Oui.

— C'est fou comme elles poussent. J'ai mis des tuteurs, et elles s'enroulent autour. On dirait des plantes voraces. Quand elles choisissent une proie, elles ne la lâchent plus.

— Je n'avais pas vu ça comme ça.

— Il y a certains lierres qu'on appelle "les bourreaux des arbres". J'adore cette expression. Tu ne trouves pas ça trop beau ?

— Les bourreaux des arbres, répéta Mathilde pour elle-même. Oui, c'est vrai. Je ne sais pas si c'est beau, mais c'est une image forte.

— Voilà j'ai fini par ici. On fait l'autre côté, et après on va chercher Lili, d'accord?

— Si ça ne te dérange pas, je vais plutôt me reposer un peu.

— Non bien sûr, je comprends. J'ai dû t'épuiser ma pauvre!

— …»

Mathilde retourna dans la chambre de Lili, et ferma les volets. Il était un peu moins de dix-sept heures, et elle n'avait envie que d'une chose: que la nuit tombe.

6

Les trois somnifères ingurgités par Mathilde la propulsèrent au lendemain, en fin de matinée. Elle fut surprise de constater que toute la petite famille modèle était présente dans le salon. Nous étions samedi. Elle ne savait plus rien des jours.

7

Agathe et Frédéric avaient décidé d'éviter au maximum de parler de sa situation à Mathilde. Ils essayaient sans cesse de lancer des sujets de conversation qui ne risqueraient pas d'évoquer

Étienne. On était à deux doigts de disserter sur le prochain championnat de patinage artistique.

Pendant le déjeuner, Frédéric se mit à parler des dernières évolutions de l'intelligence artificielle. Il fut coupé par sa femme :

« C'est difficile de te suivre. Je ne comprends pas grand-chose.

— Ah bon ? Pourtant, j'essaye d'être clair.

— Tu comprends toi, Mathilde ? demanda alors Agathe à sa sœur.

— Pas vraiment…

— Voilà, personne ne s'intéresse à moi ici ! »

Les deux sœurs partagèrent un sourire, et cela aurait presque pu se transformer en rire, mais non, on demeura dans le sourire.

Mathilde avait pourtant apprécié la façon dont Frédéric avait évoqué son travail. Elle aimait les gens passionnés. Elle l'était elle-même. Pour la première fois, elle regarda vraiment son beau-frère. Si elle ne s'était jamais attardée sur lui, elle l'avait toujours trouvé sympathique ; peut-être un peu lunaire parfois, mais stable et bienveillant. Il n'était pas du genre à se laisser embarquer par une ex de retour d'Australie. En le dévisageant, elle commença à le trouver charmant. Ses traits ressemblaient à une chanson dont on se rappelle immédiatement les paroles. Et puis, il était un père aimant, avec juste ce qu'il fallait d'autorité pour que toute sa famille puisse envisager l'avenir avec sérénité.

Frédéric proposa un café à Mathilde :

« Pardon ? fit-elle, perdue dans ses pensées.

— Tu veux un café ?

— Non merci, ça va. Je vais en prendre un dehors.

— Tu sors ? demanda Agathe, avec une pointe d'inquiétude.

— Oui, je vais prendre l'air. Ça me fera peut-être du bien.

— Tu veux que je vienne avec toi ?

— Non, restez tranquilles ensemble. Je ne veux pas vous encombrer tout le temps.

— Mais tu ne nous encombres pas, dit Frédéric.

— C'est gentil… », souffla-t-elle.

8

Mathilde ne savait où aller, alors elle se promènerait : nulle part. C'était si compliqué. Étienne avait contaminé Paris de sa présence. Partout où elle marchait, un souvenir de leur vie commune lui sautait au visage. En cinq ans, ils avaient annexé Paris à leur bonheur. Ce bonheur mort. Que faire ? Mathilde avait finalement opté pour l'achat d'un plan de la ville. De retour dans sa chambre, elle l'avait déplié. Avec un marqueur, elle avait rayé tous les quartiers où elle se souvenait être allée avec Étienne. Au bout du compte, il ne restait plus grand-chose. Paris était réduit à une succession d'îlots ridicules, de véritables cellules de prison.

9

En début de soirée, Frédéric annonça qu'il allait se coucher. Sa femme lui demanda : « Déjà ? »

Il répondit qu'il était épuisé.

« C'est de ma faute, déclara Mathilde.

— Mais non… pas du tout, répondit Frédéric.

— Si. Je sais que ce n'est pas facile de dormir avec Lili. Elle doit faire du bruit la nuit. Je pense que ça serait mieux qu'elle revienne dans sa chambre. En plus, si elle se réveille la nuit, je peux tout à fait m'en occuper.

— C'est un peu dur de l'entendre, si tu prends des somnifères, fit remarquer Agathe.

— Je comptais justement arrêter. Ça m'abrutit complètement. Ce n'est pas comme ça que j'irai mieux.

— C'est certain…

— Je ne te cache pas que ça serait plus confortable pour nous, reprit Frédéric, reconnaissant.

— Alors, faisons comme ça. Et de toute façon, si Lili me réveille, je peux dormir dans la journée. Contrairement à vous, je ne travaille pas. Vous êtes tellement bienveillants avec moi, c'est la moindre des choses.

— Tu ne nous dois rien, dit Frédéric. C'est tout à fait normal.

— Bon, dans ce cas-là, allons chercher Lili maintenant et remettons-la dans sa chambre », conclut Agathe, avec son sens aigu du pragmatisme ; une décision prise devait être appliquée sur-le-champ.

Un peu plus tard, alors que Mathilde cherchait le sommeil, elle entendit le couple faire l'amour. À l'évidence, ils essayaient d'être le plus silencieux possible. Est-ce qu'ils le faisaient souvent ? Elle n'y croyait pas. Toute la lingerie découverte en était la preuve. Agathe devait de temps à autre tenter d'exciter son mari, histoire de maintenir un peu le désir. Mathilde entendait les soupirs étouffés de sa sœur. Depuis quand elle-même n'avait-elle pas fait l'amour ? Cela devait remonter à deux ou trois jours avant l'annonce d'Étienne. Le pire étant qu'elle n'avait pas du tout imaginé que ce serait la dernière fois. Quand il avait joui en émettant un cri tout près de son oreille, cela avait été le dernier acte de leur vie sexuelle. Elle aurait tant voulu revenir en arrière, revivre ce moment plus intensément, serrer Étienne si fort, faire en sorte qu'il ne puisse jamais s'échapper du piège de ses bras. En y pensant, elle se mit à se caresser ; c'était peut-être bon signe si son désir revenait ; mais elle ne sentait rien, ses doigts arpentaient une chair morte.

Et puis Lili respirait si fort, d'une manière presque inquiétante. Mathilde se leva sans bruit pour observer le bébé. De l'autre côté de la cloison, on n'entendait plus rien. Frédéric avait dû jouir en silence. Ils devaient s'endormir l'un contre l'autre avec la sensation du travail bien fait. Le souffle de

Lili s'atténua, comme si elle ressentait le regard dirigé vers elle. Mathilde demeura immobile un long moment à contempler sa nièce. Elle pensa : « Cela devrait être ma vie. Je devrais faire l'amour avec mon mari, et me lever pour voir mon enfant la nuit ; me lever pour voir s'il dort bien. Pourquoi n'est-ce pas ma vie ? » Mathilde ne comprenait pas. Elle se sentait une intruse dans ce décor. Alors qu'il lui semblait qu'elle en avait été si proche, de ce décor, elle l'avait touché du doigt. Avec Étienne, ils allaient se marier. Elle n'était pas folle. Il le lui avait dit, en Croatie. Et puis, ils avaient parlé de faire un bébé. Peut-être même qu'un jour ils avaient évoqué des prénoms. Elle n'était plus certaine de ce détail, mais c'était plausible. Tout à fait plausible. Si plausible que cela lui avait paru presque réel. Le mariage, l'enfant, l'amour la nuit, se lever pour vérifier si tout va bien.

Oui, tout va bien.

Lili dort si profondément. Exactement comme sa mère dormait le jour de l'accident. Quand leur maman avait crié dans la nuit. Oui, elle dort de la même façon, protégée du malheur qui arrive aux autres. Les deux images se superposent dans l'esprit de Mathilde : c'est comme une conversation entre ces deux bonheurs.

10

Le lundi suivant, Mathilde, installée au milieu du salon, s'adressa à une classe imaginaire. Elle commença par faire l'appel. Chaque nom résonnait dans la pièce vide, et cela ajoutait à la tristesse du moment. Au mieux, on aurait dit une actrice répétant une scène pour une audition.

Mathilde cicatrisait en silence ; elle ne parlait pas à sa sœur de ce qu'elle éprouvait. Son renvoi du lycée était devenu presque aussi important à ses yeux que le départ d'Étienne ; les deux formaient une fêlure complète. Au moment où elle avait été quittée, seule sa vie professionnelle lui avait permis de ne pas sombrer. Elle avait survécu grâce au sentiment de son utilité. Et maintenant, quelle était sa raison d'être ? Veiller sur un bébé la nuit ? Oui, cela pouvait être ça. Berthier lui envoyait des messages de temps à autre pour prendre de ses nouvelles, et lui parler de son passage en commission disciplinaire. Elle ne répondait pas ; avec le temps, elle se sentait de plus en plus furieuse que personne ne lui ait tendu la main. Que personne n'ait considéré qu'il fallait se battre pour elle, pour plaider la chose suivante : on ne pouvait pas associer une personne à un moment d'égarement. Il y avait un passé, une vocation, une implication qu'on avait jugée exceptionnelle ; tout cela avait été balayé par une méchante seconde. Est-ce donc ainsi que s'agence la balance de nos actes ? On pourrait croire que ce moment d'égarement demeurerait l'unique image que l'on conserverait d'elle. Une erreur dans un océan de perfection, et c'est l'erreur seule que l'on regarde.

« Ouvrez vos livres page 337, clama-t-elle.

— Madame, je l'ai oublié chez moi, dit alors une Clémence imaginaire.

— Ce n'est pas grave. J'avais prévu le coup en photocopiant la page. Ah, il faut tout anticiper avec vous !

— Merci madame.

— De rien Clémence, mais c'est la dernière fois. Allez je vous lis ce passage, et nous en parlerons après. »

Mathilde fit alors un aller-retour dans le salon, comme si elle traversait une rangée d'élèves, à la recherche du meilleur endroit pour que sa voix porte suffisamment afin d'atteindre tout le monde. Elle se racla la gorge, et précisa que c'était Frédéric Moreau qui parlait :

> « Qu'est-ce que j'ai à faire dans le monde ? Les autres s'évertuent pour la richesse, la célébrité, le pouvoir ! Moi, je n'ai pas d'état, vous êtes mon occupation exclusive, toute ma fortune, le but, le centre de mon existence, de mes pensées. Je ne peux pas plus vivre sans vous que sans l'air du ciel ! Est-ce que vous ne sentez pas l'aspiration de mon âme monter vers la vôtre, et qu'elles doivent se confondre, et que j'en meurs ? »
>
> Mme Arnoux se mit à trembler de tous ses membres.
>
> « Oh ! Allez-vous-en ! Je vous en prie ! »
>
> L'expression bouleversée de sa figure l'arrêta. Puis

il fit un pas. Mais elle se reculait, en joignant les deux mains :

« Laissez-moi ! Au nom du ciel ! De grâce ! »

Et Frédéric l'aimait tellement, qu'il sortit.

Mathilde laissa un silence, bouleversée par ce texte qu'elle connaissait pourtant par cœur. Il y avait de l'infini dans son exaltation. Elle précisa alors que, juste un peu plus haut dans le texte, Frédéric avait dit : « Hier, mon cœur débordait. »

« C'est si beau, n'est-ce pas ? Mon cœur débordait…

— Oui, c'est magnifique, admit Mateo.

— Oh Mateo… mon Mateo, fit Mathilde en s'approchant. Comme je suis heureuse que tu sois sensible à cette phrase ! »

Puis, la professeure s'adressa à la classe :

« Vous voyez, on est au cœur du roman, et ils doivent tous les deux admettre que leur amour est impossible. Mais ils s'aiment, ils s'aiment tellement. Ils s'aiment d'un amour qui n'a pas le droit de s'arrêter ! »

C'est alors qu'il se produisit un fait surprenant.

Mathilde s'apprêtait à se lancer dans une longue analyse du sentiment amoureux, et de la passion qui ravage, quand son regard fut happé par un ours en peluche abandonné par Lili dans le salon. Il lui sembla alors que l'ours l'observait ; elle en fut même persuadée. Pire, il la jugeait. Dans son expression immobile, elle lisait une pointe de mépris. Cette peluche se moquait d'elle et de son plaisir à donner cours à une classe imaginaire. Elle s'en saisit rageusement, lui serrant le cou. Rien à faire, son expression était toujours identique. Elle finit par le ranger dans un tiroir, heureuse d'avoir au moins ce pouvoir-là sur lui. Mais il avait rompu son désir ; la classe était terminée.

11

Exténuée, Mathilde s'affala sur le canapé. Au-dessus d'elle, il y avait une petite étagère avec quelques livres. Sa sœur ne lisait pas, et son beau-frère, uniquement des essais scientifiques ; Lili allait grandir dans une maison sans romans. Par curiosité, elle attrapa un livre intitulé *La guerre des intelligences* dont l'auteur était Laurent Alexandre. Il y traitait de l'intelligence artificielle, le sujet qui était au cœur du métier de Frédéric. Mathilde commença à lire en se disant qu'elle pourrait peut-être mieux le comprendre quand il en parlait. Et puis, cela lui ferait sûrement plaisir qu'on s'intéresse à sa passion. À une époque, Étienne voulait acheter un bateau, et passait son temps à lire des revues sur le milieu maritime. Par amour, Mathilde s'était également investie dans la connaissance de ce domaine. Pourtant, c'était un univers qui, spontanément, ne l'enthousiasmait pas du tout. Et puis un week-end, ils étaient partis faire un tour en bateau, et Étienne s'était rendu compte qu'il avait le mal de mer. Cela avait été la fin de sa passion.

Finalement, il avait agi un peu de la même manière avec sa vie amoureuse. Pendant cinq ans, il s'était passionné pour elle (il aurait tout à fait pu lire des revues spécialisées en Mathilde) avant de se rendre compte qu'il éprouvait un mal de vivre à ses côtés, et préférait retourner sur la terre ferme : Iris.

12

Le soir, après avoir couché Lili, ils dînèrent tous les trois. Mathilde se mit à évoquer le livre qu'elle avait lu, et posa de nombreuses questions à Frédéric. Agathe fut, dans un premier temps, heureuse de constater l'intérêt de sa sœur pour un nouveau sujet. Elle se dit que la guérison passait forcément par la curiosité ; progressivement, pour aller mieux, il fallait réintégrer le reste du monde à sa propre vie. Dans un second temps, elle éprouva un léger agacement en observant ce duo de la parole qui, d'une certaine façon, la laissait à l'écart. C'est vrai, elle n'avait jamais été passionnée par le sujet. Pour elle, il s'agissait de la simple évolution des choses, du progrès de la science et de la technologie. L'histoire de l'humanité reposait sur des mutations et elle ne voyait pas en quoi cette mutation-là serait, comme les spécialistes aimaient à le dire, un basculement vers l'inconnu ; et donc un danger.

« Enfin quelqu'un qui s'intéresse à ce que je fais ! » s'exclama Frédéric. On aurait dit un gamin avec qui on acceptait finalement de jouer. C'était tout juste s'il ne sautillait pas sur sa chaise. Au fond, il était comme n'importe quel être humain. Il aimait qu'on s'intéresse à lui ; ceux qui réussissent dans la vie sont des gens qui savent poser des questions. Chez Mathilde, l'intérêt n'était pas feint. Car toute une partie du livre évoquait l'école. Sans un effort sur l'éducation, les moins qualifiés, les moins cultivés seraient peu à peu exclus de la société. L'intelligence artificielle allait les mettre à l'écart.

« Mais toi, concrètement, tu travailles sur quoi ? demanda Mathilde.

— Nous avons de nombreux clients, en général des entreprises, qui nous demandent des simulations pour préparer la mutation.

— C'est si proche que ça ?

— Oui, ça va bientôt arriver. Pour parler simplement, les machines progressent de plus en plus vite. Elles vont envahir le marché du travail.

— À ce point-là ?

— Un de mes clients est une très grande banque. Ils savent que bientôt ils n'auront plus besoin de conseillers financiers.

— Ah sympa ! intervint subitement Agathe. Non seulement on m'exclut de la conversation mais en plus j'apprends que je vais perdre mon boulot !

— Oh tu en rajoutes ! dit Mathilde.

— De toute façon, je suis épuisée. Je vais me coucher. »

Et Agathe quitta la pièce.

Mathilde et Frédéric se regardèrent sans trop comprendre ce qu'il se passait. À vrai dire, Agathe avait ressenti, pour la première fois, que la situation actuelle devrait bientôt prendre fin. Elle avait dû s'occuper de Lili, travailler, faire les courses, sans éprouver le moindre plaisir à aucune de ces étapes. Et voilà que Frédéric, qui n'était plus reconnaissant de ce qu'elle faisait (mais peut-être agissait-elle de même avec lui ?), était tout mielleux avec Mathilde et ses trois pauvres connaissances sur l'intelligence artificielle ; s'il suffisait de survoler un livre pour épater son mari, ce n'était pas difficile à faire.

Mais il y avait autre chose : elle avait perçu comme une lumière dans l'œil de Frédéric. Cette même lumière qu'elle ne voyait plus quand elle s'adressait à lui. Elle s'était subitement souvenue de leurs premiers mois, quand ils parlaient pendant des heures, et s'émerveillaient de découvrir chaque parcelle de la vie de l'autre. Elle fut attristée par l'idée que cette complicité avait presque disparu.

13

Mathilde s'endormit apaisée pour la première fois depuis des semaines. Cela lui avait fait du bien d'explorer un nouveau sujet ; et qu'on ne lui parle plus comme si elle était une malade. Quand vous souffrez, tout le monde vous considère comme un produit explosif. Vos interlocuteurs s'approchent de vous en espérant que le fil rouge et le fil bleu qui sont en vous ne vont pas leur faire exploser une bombe au visage.

La conversation avait été passionnante, Mathilde avait aimé écouter les explications de son beau-frère. Elle avait adoré sa façon de se montrer animé par son sujet ; cela devenait de plus en plus rare finalement. Les humains traversaient l'histoire avec une nonchalance croissante ; l'excès d'informations en toute chose aboutissait à une diminution sidérante de la capacité à s'enthousiasmer. C'était frappant avec les enfants ; ils considéraient comme acquis de voir un dessin animé, et l'accueillaient souvent d'une manière blasée ; et, plus encore, ils pouvaient passer à autre chose en pleine histoire, sans sacraliser le moment. Avant, les enfants attendaient un dessin animé toute la journée avant de ressentir une intensité inouïe au moment où il était diffusé à la télévision. La disponibilité permanente de toute chose avait donc conduit à une baisse de la libido curieuse. Alors on repérait les passionnés, ici ou là, comme des chevaliers d'un autre temps. Frédéric en faisait partie.

14

Mathilde voulait remercier sa sœur et son beau-frère pour tout ce qu'ils faisaient pour elle. Certes, elle s'occupait beaucoup de Lili, et cela leur permettait de respirer un peu. Mais elle entendait leur faire un cadeau. Ce n'était pas très compliqué. Ils adoraient tous deux la musique classique. Pendant des années, Agathe avait joué du piano. Mais d'une manière mécanique, sans la moindre âme d'artiste, avait toujours pensé Mathilde ; elle aurait pu faire du judo que cela aurait été la même chose. Vers dix-huit ans, elle avait arrêté de jouer, mais elle avait acquis une connaissance musicale qui avait été l'un de ses points communs avec Frédéric. Il adorait Schubert, notamment. Mathilde avait repéré qu'on jouait alors au Théâtre des Champs-Élysées *La jeune fille et la mort*. Elle leur prit deux places.

« Oh il ne fallait pas ! dit Frédéric.

— C'est adorable, dit Agathe en ouvrant l'enveloppe. *La jeune fille et la mort* ! Merci !

— Oui, tu ne pouvais pas tomber mieux.

— Et je garderai Lili, bien sûr.

— Merci », dit à nouveau Agathe en embrassant sa sœur.

Puis elle jeta un œil aux billets pour regarder la date du concert : jeudi 24 novembre.

« Oh… mais je ne peux pas ce soir-là !

— Ah bon ? Pourquoi ? demanda Frédéric.

— C'est la soirée annuelle à la banque. Celle avec tous les clients. Oh, je suis déçue… »

Mathilde s'excusa pour ce ratage. Agathe finit par proposer : « Allez-y tous les deux. On prendra une baby-sitter pour Lili. » Ils avaient un peu protesté, mais il était évident que c'était la meilleure solution pour ne pas gâcher les billets. Un peu plus tard dans la soirée, Agathe se leva de son lit. Elle alla vérifier quelque chose dans son agenda. À la date du 24 novembre, elle avait bien noté sa soirée à la banque. Mathilde avait déjà fouillé dans ses affaires, alors elle aurait pu tout à fait tomber sur cette information. Aurait-elle pu prendre intentionnellement des places pour ce jour-là ? Non, ce n'était pas possible. Elle n'aurait pas fait ça. Mais il fallait admettre qu'elle agissait d'une manière si imprévisible parfois. Agathe ne savait plus que penser, alors elle préféra se dire que toute cette histoire n'était qu'un malheureux concours de circonstances.

15

Les jours passèrent dans une sorte de monotonie. Comme une routine à trois. Vint enfin la soirée du concert. Mathilde s'était maquillée pour la première fois depuis longtemps. Frédéric fut surpris en la découvrant ; à vrai dire, il la trouva particulièrement belle.

Tous deux furent émerveillés par la beauté de la musique. Mathilde ressortit les larmes aux yeux. Depuis le départ d'Étienne, elle s'était sentie propulsée dans un rapport anesthésié au monde. L'émotion la saisissait subitement à nouveau ;

exactement comme si elle l'attrapait par la nuque. Grâce à Schubert, et au quatuor de ce soir, la sensualité renaissait. C'était peut-être une illusion liée à la perfection du moment, mais elle se sentait transportée, et même un peu heureuse.

Elle aurait voulu marcher toute la nuit avec Frédéric. Paris semblait être une nouvelle ville, résolue à offrir son charme avec docilité. Lui aussi était troublé par la magie de cette soirée. Il écoutait beaucoup de musique classique, mais c'était incomparable avec la sensation de se retrouver dans la pénombre, et de partager avec des centaines de spectateurs un voyage sonore. Et cette forme de magie continuait à se propager avec la balade nocturne. Cela faisait si longtemps qu'il ne s'était pas promené ainsi avec une autre femme ; bien sûr, c'était sa belle-sœur ; bien sûr, il n'y avait pas d'ambiguïté ; mais la situation en elle-même résonnait comme un écho à tous les moments de sa vie où il avait pu ainsi errer dans la nuit parisienne en compagnie d'une femme ; et cela ne renvoyait qu'à des moments sentimentaux.

Il était agréable pour tous deux de s'extirper de leur quotidien pour mieux se connaître. Frédéric ne voyait de Mathilde que la femme dépressive dont il fallait s'occuper. Mathilde considérait son beau-frère comme un de ces hommes peu ancrés dans le réel, qui donnent parfois envie de les secouer. En quittant l'appartement, ils quittaient leur image, et se découvraient sensibles et drôles. Une autre chose troublait Frédéric : la ressemblance de Mathilde avec sa sœur. Il voyait sans cesse les ponts entre leurs visages, leurs gestes et leurs intonations. Agathe se cachait ainsi chez Mathilde ; l'Agathe de leur début. En se promenant ce soir-là, Frédéric avait quasiment l'impression de rencontrer à nouveau sa femme.

Jusqu'à présent, Frédéric n'avait jamais vraiment comparé les deux sœurs. Mathilde lui paraissait plus charnelle ; disons qu'elle avait plus de formes. Maquillée, habillée avec élégance, elle pouvait plaire à de nombreux hommes. Il avait envie de lui poser des questions sur sa séparation d'avec Étienne, et comment elle envisageait l'avenir. Mais il en était incapable. Ce n'était pas un champion de la relance interrogative, un de ces individus qui se sentent toujours un peu responsables des conversations. Au contraire, il n'avait aucun problème à laisser le silence se propager, et à offrir au moment une allure de recueillement. Mathilde appréciait cette capacité. On attendait d'elle qu'elle réagisse, qu'elle soit forte, qu'elle soit ceci ou cela. Alors qu'elle ne savait tout simplement pas comment respirer. Elle tâtonnait, et tentait de trouver comme elle pouvait la porte de sortie de sa détresse. Elle comprit en marchant ce soir-là au côté de Frédéric qu'elle voulait du silence plus que tout ; oui, elle voulait cicatriser ainsi. Elle ne savait pas combien de temps cela prendrait, des jours, des années, des siècles, mais elle se dit à cet instant que son cœur pourrait ainsi battre un jour à nouveau.

16

En rentrant, ils furent surpris de découvrir Agathe, recroquevillée sur le canapé, une tasse de tisane à la main.

« Tu es déjà là ? demanda Frédéric.

— Oui, je n'avais pas envie de rentrer trop tard. En même temps, il est déjà minuit.

— Ah bon ? » fit-il, réellement surpris. Ils étaient sortis à vingt-deux heures du concert, et il n'arrivait pas très bien à savoir comment deux heures avaient pu filer ainsi.

« C'était bien ? demanda Agathe.

— Oui, magnifique. Cela m'a fait un bien fou de sortir…, dit Mathilde.

— Alors tant mieux…

— Et toi ? Ta soirée ?

— Très sympa. C'était l'occasion de voir tous les collègues… », répondit Agathe sans le moindre enthousiasme. À l'évidence, ils avaient passé une bien meilleure soirée que la sienne, et cela accentuait davantage encore son malaise.

Agathe leur proposa une tisane, et partit faire chauffer de l'eau. Mathilde et Frédéric évoquaient à nouveau le concert. Pour ne pas réveiller Lili, ils ne parlaient pas fort, si bien qu'on aurait presque pu croire à une messe basse. Agathe disposa les tasses sur la table du salon, et s'installa dans le canapé. Frédéric vint près d'elle. Mathilde hésita un instant avant de se diriger vers le fauteuil de l'autre côté de la table. Tout rentrait dans l'ordre.

« En tout cas, tant mieux si vous avez passé une bonne soirée, dit à nouveau Agathe, mais en laissant percevoir cette fois-ci une pointe d'agacement.

— Oh, mon amour, tu ne vas pas être jalouse ! Je vais prendre deux places et on ira ensemble.

— Toutes les dates sont complètes, tu le sais bien.

— Eh bien on ira voir autre chose. Je rêve d'aller écouter du Bach dans une église.

— Avec plaisir... »

Il se passa alors quelque chose de sublime. En tout cas, c'est ainsi que Mathilde considéra ce dont elle fut le témoin. Frédéric, sentant sa femme un peu boudeuse, s'approcha d'elle, et releva une mèche qui masquait en partie son visage pour la déposer derrière son oreille. Ce geste fascina Mathilde[1]. Oui, Frédéric avait délicatement replacé une mèche derrière l'oreille de sa femme, il avait accompli ce geste lentement, et cela avait été une façon de lui dire : je t'aime. Plus tard dans la nuit, et les jours suivants aussi, Mathilde repenserait à ce geste. Plus personne ne lui remettait ses mèches derrière l'oreille.

1. Elle l'avait trouvé d'une beauté totale, et même : la personnification de l'amour.

Agathe n'était pas à proprement parler jalouse ; elle avait une grande confiance en son mari. Mais elle avait été surprise par l'attitude de sa sœur. Non seulement une partie d'elle doutait toujours que seul le hasard ait été responsable de cette histoire de date de concert mais, plus encore, elle avait du mal à comprendre pourquoi elle s'était habillée ainsi. Évidemment, c'était bien, qu'elle se fasse belle, qu'elle cherche à nouveau à susciter le désir, mais pourquoi choisissait-elle une sortie avec son mari pour afficher un tel décolleté ? Son attitude était troublante. Comme à son habitude, Agathe chassa de ses pensées tout ce qui pouvait être négatif, et préféra évoquer une conversation qu'elle avait eue dans la soirée :

« Une de mes collègues m'a parlé de ses dernières vacances en Croatie. Elle m'a montré des photos sublimes. On pourrait peut-être y aller l'été prochain ? dit-elle à son mari.

— Ah oui très bonne idée.

— Comme ça Lili découvrirait la mer.

— Elle m'a parlé d'un hôtel magique près de Hvar.

— Attends… tu es en train de parler de la Croatie ? la coupa Mathilde.

— Oui, répondit Agathe.

— Vous allez vraiment y aller ? demanda-t-elle sur un ton agressif.

— Je ne sais pas. On en parle comme ça. C'est une piste.

— Comment vous pouvez me faire ça ?! dit-elle en haussant le ton. C'est dégueulasse !

— Mais de quoi tu parles ?

— De quoi je parle ? De quoi je parle ? Tu le sais très bien ! Tu fais ça exprès pour me faire mal. Tout ça parce que j'ai passé une bonne soirée avec ton mari.

— Mais Mathilde... je ne sais même pas de quoi tu parles. Et baisse un peu la voix s'il te plaît, tu vas réveiller Lili.

— Je m'en fous.

— Bon, tu peux m'expliquer ?

— Tu le sais ! C'est le pays de mon dernier été avec Étienne. Et ce connard m'a demandée en mariage là-bas. Et vous voulez y aller ?

— Mais je n'ai pas fait le lien... je... je suis désolée... je ne sais pas quoi te dire.

— C'est ça. Fais l'innocente. C'est ce que tu fais le mieux.

— ...»

Mathilde se leva alors d'un coup et fonça dans la chambre.

17

Choqué par la tournure prise par la soirée, le couple se mit au lit. « Au moins, on sait qu'il faut éviter de parler de la Croatie avec elle », dit Frédéric. Il avait prononcé cette phrase en espérant provoquer un sourire chez sa femme, mais elle demeurait stupéfaite par la réaction de sa sœur.

Jamais elle ne l'avait vue s'emporter ainsi. On aurait cru qu'elle était comme possédée.

« Elle m'a fait peur, finit par dire Agathe.

— C'est juste un emportement.

— J'ai vu ses yeux. C'était étrange. J'ai de plus en plus de mal à la suivre, à la reconnaître.

— Ça va passer. Elle souffre.

— Oui, mais cela peut durer des mois. Et on ne peut pas vivre ça. Il faut lui trouver un appartement.

— On en a déjà parlé. Elle ne peut pas se le payer pour le moment.

— On pourrait se serrer la ceinture. Je préfère qu'on ne parte pas en vacances et qu'on se retrouve tous les trois. Comme avant. Je me demande si j'ai bien fait de l'installer ici…

— Tu n'avais pas le choix. C'est ta sœur.

— Oui.

— Ce qu'il faudrait, c'est qu'elle rencontre un autre homme. Pas forcément pour oublier Étienne, mais pour se dire que c'est encore possible.

— Comment veux-tu que ça arrive ? Elle ne sort jamais.

— J'ai peut-être une idée. »

Frédéric expliqua ce à quoi il pensait. Agathe n'était pas convaincue, mais se dit qu'après tout il fallait essayer. Si Mathilde ne sortait pas, il fallait faire entrer la vie sociale dans l'appartement. Agathe pensa fugitivement que depuis la naissance de Lili ils n'invitaient plus grand monde chez eux ;

à part les parents de Frédéric qui venaient voir le bébé. Ils n'avaient pas l'énergie d'organiser des dîners. C'était donc ça, devenir parents, une petite mort sociale. Mais la vérité était différente ; ils n'avaient pas beaucoup de vrais amis. Les relations superficielles s'étaient évaporées, ne restait qu'un noyau dur de relations qui se comptaient sur les doigts d'une main. Et puis quand l'un des deux voyait un ami ou une amie, il était préférable que la rencontre se produise à l'extérieur, pour savourer pleinement cette respiration sans Lili. Dans ce silence qui s'installait maintenant entre eux, Agathe et Frédéric pensèrent exactement la même chose : ils voulaient sortir davantage, retrouver un peu les sensations de la vie d'avant. Il y a sûrement un temps de l'amour où l'ailleurs redevient une envie.

Le silence fut interrompu par une vibration, celle du téléphone d'Agathe. La nuit, elle le mettait en mode « avion » mais elle n'avait pas encore eu le temps de le faire. Le message venait de la chambre voisine : « Je voudrais m'excuser pour mon comportement. Je n'aurais pas dû réagir comme ça, mais ça a réveillé en moi une douleur. Je sais à quel point toi et Frédéric êtes adorables avec moi. Et si vous voulez partir en Croatie, vous pouvez tout à fait le faire. Pardon encore, Mathilde. » Après la lecture de ce message, Agathe se sentit un peu coupable ; elle aurait dû anticiper que l'évocation de ce pays serait une souffrance pour sa sœur ; elle savait parfaitement que ces vacances avaient été son dernier bonheur avec Étienne ; à l'évidence, ils n'iraient pas en Croatie cet été.

18

Bien qu'il fût assez difficile de lui donner un âge, Hugo était un peu plus jeune que Frédéric. Son expression faisait sans cesse des allers-retours entre une candeur juvénile et des éclairs de maturité. Il avait tout d'un enfant tenu de jouer à l'adulte. Venant de Rennes, il se sentait un peu perdu dans Paris. Il était arrivé dans la société où travaillait Frédéric après une rupture amoureuse. Plutôt taiseux, il ne l'avait pas dit clairement, mais Frédéric avait compris progressivement les raisons de son changement de vie. De nombreux moments devant la machine à café peuvent permettre de reconstituer le puzzle d'un destin. Certes, Frédéric n'avait aucune idée de la réalité.

Mona, l'ancienne copine d'Hugo, s'était mise en couple avec une autre fille. Ça avait été un choc de comprendre qu'il avait été comme le révélateur de la véritable orientation de sa compagne. Il l'avait toujours sentie un peu attirée par les filles, ce qui l'avait d'ailleurs parfois excité, mais jamais il n'aurait pu penser que cela se finirait ainsi. Une part de lui respectait son choix, qui n'était pas forcément facile, mais une autre part gardait un goût amer dans la bouche. Il se disait : « Il lui a fallu être avec moi pour admettre définitivement qu'elle n'aimait pas les hommes. » Mona ne voyait pas les choses ainsi ; à vrai dire, elle n'était même pas certaine d'être lesbienne ; elle avait simplement rencontré une fille qui lui avait plu. Personne ne se comprend vraiment en matière amoureuse ; on croit parfois aux évidences, ou à ce qu'on appelle un coup de foudre, mais la plupart du temps on végète dans un royaume aux repères abolis. Hugo savait une seule chose : il ne pourrait pas rester dans cette ville. Non qu'il ait peur de croiser Mona avec sa nouvelle copine, mais le regard des autres lui était insupportable. On l'associerait toujours aux raisons de sa rupture. Un fait banal mais qui prendrait à coup sûr des proportions extraordinaires dans l'esprit de ses relations, de sa famille, de ses collègues. Quand on évoquerait Hugo, on penserait immédiatement : sa copine est partie avec une fille. Voilà pourquoi il avait postulé pour un emploi à Paris ; informaticien doué, il avait été embauché aussitôt.

Sans être un professionnel de l'ambiance d'entreprise, Frédéric avait tout fait pour que l'intégration d'Hugo se passe du mieux possible. Il lui avait répété plusieurs fois qu'il était à son entière disposition pour toute question concernant le fonctionnement de la boîte. Il se souvenait avoir lui-même été très bien accueilli par Jean-Pierre Malaquais six ans auparavant ; un homme respirant la bonne humeur et qui avait organisé une fête mémorable pour son départ à la retraite, histoire de masquer la mélancolie qui s'était propagée en lui à l'idée de ne plus travailler. Au début, il avait échangé de nombreux messages avec Frédéric, et puis les contacts s'étaient espacés pour aboutir finalement au silence. L'arrivée d'Hugo avait replongé Frédéric dans le souvenir de Jean-Pierre Malaquais, et il avait alors pris de ses nouvelles. En lui téléphonant sur son portable, il était tombé sur un message de l'opérateur disant que le numéro n'était pas attribué ; il finit par retrouver son fixe et c'est sa femme qui décrocha. Elle annonça à Frédéric que son ancien collègue était mort d'une tumeur au cerveau quelques mois auparavant. Il ne sut que dire, ne fut pas même capable de prononcer quelques mots de condoléances. L'annonce avait été brutale. Pourquoi cette femme n'avait-elle pas prévenu les anciens collègues de son mari ? La réponse était évidente : elle n'avait prévenu personne car cela faisait longtemps qu'on ne prenait plus de nouvelles de lui ; il était mort dans une solitude éclatante.

Voilà à quoi pensait Frédéric en expliquant de temps à autre à Hugo des détails du fonctionnement de l'entreprise. C'est sûrement même le souvenir de Malaquais qui avait cimenté cette forme de relation professionnelle. En six mois, les deux hommes ne s'étaient jamais vus en dehors du travail, alors Hugo fut forcément un peu surpris quand Frédéric lui proposa de venir prendre un verre chez lui.

19

À vrai dire, l'invitation qui avait été fomentée par le couple avait pris l'allure d'un acte totalement improvisé. En fin de journée, Frédéric avait dit à Hugo : « Tu ne veux pas qu'on finisse ce dossier chez moi ? On en profitera pour boire un verre. » Il avait évité de lui dire : « J'ai très envie de te présenter ma belle-sœur qui vit terrée chez nous depuis des semaines », ou encore : « Tu n'as pas l'air d'avoir une vie palpitante, alors ma femme et moi on s'est dit que de deux solitudes pourrait naître un désir. » Bref, il valait mieux ne rien dire pour ne pas mettre de pression sur les épaules d'Hugo ; il paraissait assez timide comme ça[1].

En entrant, Frédéric continua de jouer le jeu de la soirée improvisée en annonçant à sa femme :

« Mon amour, je suis avec Hugo. On avait un dossier à finir.

— Ah parfait. Ça me fait plaisir de te rencontrer, dit-elle à Hugo. Depuis le temps que Frédéric me parle de toi.

— Moi aussi…

— On se prend un apéro ?

— Très bonne idée, dit Frédéric.

1. Il lui avait simplement donné cette consigne étrange avant d'ouvrir la porte de son appartement : « Surtout, n'évoque pas la Croatie. »

— Je vais voir ce que j'ai en cuisine», mentit Agathe, car elle avait évidemment acheté ce qu'il fallait. On aurait dit deux acteurs amateurs tout étonnés de leur talent.

Avant d'aller à la cuisine, Agathe se dirigea vers la seconde chambre. Mathilde était en train de donner son biberon à Lili. Depuis son emportement après la soirée du concert, elle essayait d'aider encore mieux le couple en s'occupant beaucoup du bébé.

«Frédéric est rentré avec un collègue. Tu veux boire un verre avec nous ?

— Oui, très bien. Je couche Lili et j'arrive.

— Parfait ! dit Agathe tout en s'approchant de sa fille pour l'embrasser. Ce soir, c'est tata qui te couche. Bonne nuit mon amour.

— Bonne nuit maman», reprit Mathilde, répondant à la place de Lili.

Une demi-heure plus tard, le quatuor se retrouvait autour de la table. Mathilde eut immédiatement l'impression qu'il s'agissait d'une mascarade, car rien n'avait l'air improvisé. Il suffisait de voir la table envahie de charcuteries et biscuits apéritifs pour comprendre. Mais après tout, peut-être Frédéric avait-il prévenu Agathe dans l'après-midi et peut-être était-elle passée faire des courses. Elle trouva que le collègue de Frédéric respirait la gentillesse mais qu'il ne parlait pas beaucoup. Un peu stressé par la situation (il buvait un verre chez son supérieur hiérarchique), il se goinfrait de pistaches et de cacahuètes pour masquer sa gêne. Attitude hautement contre-productive car sa gêne demeurait évidente. Agathe se précipitait pour lui servir à boire dès qu'il avait fini son verre. Le couple misait beaucoup sur l'alcool pour détendre l'atmosphère.

« Mathilde est passionnée par l'intelligence artificielle, dit Frédéric à Hugo.

— Le mot passion est un peu fort. Je le réserve à la littérature. Disons en tout cas que je viens de comprendre à quel point c'est un enjeu pour l'avenir.

— Oui, dit Hugo, un peu faible en relance.

— Tu as lu le livre de… comment s'appelle-t-il ? demanda Agathe.

— Laurent Alexandre, répondit Frédéric.

— Ah oui, dit Hugo, à nouveau sans enchaîner.

— C'est vraiment inquiétant, ce qu'il écrit, commença Mathilde. Il pense qu'en maintenant les inégalités intellectuelles fortes entre les gens, on va créer des inégalités sociales explosives. C'est pour ça qu'il dit qu'il faut se concentrer sur l'éducation. Les politiques ne se rendent pas compte des réelles conséquences à venir.

— Vous savez que Laurent Alexandre avait un frère qui est mort à l'âge de deux ans en avalant un produit toxique ? » énonça subitement Hugo : une anecdote sûrement majeure pour comprendre la boulimie de vie de cet homme, mais un peu glauque pour une entrée en matière dans une conversation.

Cela ne manqua pas. Il y eut comme une gêne, et Hugo reprit quelques cacahuètes.

On continua néanmoins à évoquer encore un peu Laurent Alexandre, couvrant d'éloges ce visionnaire. Mais, en dépit des efforts du couple, il était assez difficile de faire parler Hugo. Il semblait tétanisé par le moment présent. Il avait assez vite senti que cette soirée ressemblait à une présentation pas tout à fait spontanée. Il devait essayer d'être drôle et pertinent, avoir l'air détendu mais concentré, être d'accord avec chacun tout en exprimant son propre point de vue, bref, la séduction lui paraissait une épreuve insurmontable. Et puis, il fallait sûrement se vanter un peu ; se valoriser. Mais que pouvait-il dire de positif sur lui-même ? Rien. Ou pas grand-chose. Depuis le départ de Mona, il s'estimait sans intérêt ; elle était partie en lui volant sa confiance en lui. Il était là, finalement, le vrai point commun avec Mathilde. Mais Frédéric et Agathe n'allaient tout de même pas dire : « Ce qui vous rapproche c'est incontestablement d'être très dépressifs tous les deux depuis que vous avez été quittés… » Seuls, ils auraient peut-être partagé leur expérience et le sentiment commun d'avoir été renversés par un désastre. Mais, à quatre, le lien qui aurait pu se créer ne paraissait pas possible.

Et puis, Hugo devait avouer une chose : Mathilde lui plaisait. Il aurait préféré renouer avec la séduction avec une fille moins à son goût. Cela aurait été comme un examen blanc. Là, il se sentait dans l'obligation immédiate d'être performant. Il n'aurait pas dû s'angoisser ainsi ; Mathilde trouvait cet homme touchant, avec ses tentatives pathétiques de bien faire. Mais là n'était pas la question. Elle n'avait juste pas envie. Ni d'Hugo ni de personne. Après une désillusion amoureuse de l'ampleur de celle qu'elle venait de vivre, soit on se dilue soit on s'enferme. Elle ne savait pas combien de temps cela durerait (qui connaît la durée des douleurs et des chagrins à part le corps ?) mais elle ne se sentait pas prête.

Elle profita qu'Agathe rapporte un plateau à la cuisine pour la rejoindre.

« C'est un coup monté ?

— Pas du tout.

— Je ne vous en veux pas. C'est assez logique. Vous voulez me trouver un mec pour vous débarrasser de moi.

— Mais non !

— Bien sûr que c'est ça.

— On veut juste que tu sois heureuse.

— Ce n'est pas possible.

— Ne dis pas ça.

— Écoute, je n'ai pas envie de parler. Je vais me coucher. Excuse-moi auprès du copain de Frédéric.

— Mais tu ne peux pas faire ça !

— Ah bon ? Tu vas me forcer ? Tu veux que je couche avec lui ? Ça te ferait plaisir ? Si tu me dis de le faire, je le fais.

— Mais non… n'importe quoi…

— Alors laissez-moi tranquille, d'accord ? J'ai envie d'être seule.

— … »

Elle fonça vers sa chambre, où Lili et les étoiles factices l'attendaient dans la nuit. Agathe revint au salon avec son plateau en disant : « Mathilde s'excuse. Elle ne se sentait pas bien. Elle est allée se coucher. » Le moment n'avait plus de raison d'être. On oublia le dossier censé être étudié. Hugo prit encore quelques cacahuètes et rentra chez lui en métro.

20

Frédéric, un peu gêné d'avoir fomenté cette rencontre artificielle, alla frapper à la porte de Mathilde, tout doucement pour ne pas réveiller Lili. Il n'entendit aucune réaction de la part de sa belle-sœur. Il se mit à chuchoter : « Mathilde, c'est Frédéric… je voudrais te parler… » Comme il était toujours face au silence, il se mit à répéter doucement le prénom « Mathilde », et cela prit presque l'allure d'une berceuse. Elle finit par répondre qu'il pouvait ouvrir, et il la découvrit allongée sur le lit dans une chemise de nuit blanche, ses longs cheveux ondulés détachés. On aurait dit l'*Ophelia* de John Everett Millais, une pure image préraphaélite ; une présence humaine perdue sur un étrange rivage, celui de la mort ou de la douceur.

Frédéric demeura un instant immobile devant ce tableau, si bien que ce fut Mathilde qui demanda en se redressant : « Tu veux me voir ? » Il s'approcha alors, sans trop savoir où il allait s'installer. Une sorte de procès intime soumettait chacun de ses gestes à une réflexion vertigineuse. Devait-il rester debout ou s'asseoir auprès d'elle ? Mathilde finit par se décaler légèrement, ce qui pouvait être considéré comme une invitation à venir près d'elle sur le lit. Il avait décidé d'aller lui parler pour s'excuser, c'était parti d'une belle intention, d'une volonté de réparer une maladresse, mais voilà qu'il ne se sentait plus vraiment en mesure d'exposer sa pensée. Mathilde lui demanda à nouveau, mais en utilisant le passé cette fois : « Tu voulais me voir ? » Il observa un instant sa fille qui dormait si paisiblement, à l'abri de l'hésitation permanente des adultes, et finit par dire :

« Ce qui s'est passé ce soir est de ma faute. Je ne voulais pas du tout te brusquer, mais voilà, j'ai pensé que… peut-être… cela te ferait du bien de rencontrer quelqu'un.

— C'était ton idée ?

— Oui. Enfin, je n'ai pas réfléchi plus que ça. Hugo est un collègue adorable qui se sent un peu seul, alors voilà…

— C'est gentil de ta part. Je regrette d'avoir réagi aussi brutalement. »

En prononçant cette phrase, Mathilde prit la main de Frédéric. Ils étaient côte à côte, il n'osait pas tourner la tête de peur de croiser son regard.

Surtout qu'elle le fixait, elle attendait son regard, c'est sûr. Pourquoi lui avait-elle pris la main ? Ils étaient si près l'un de l'autre. Il ne s'était pas rendu compte qu'il s'était posé pratiquement contre elle. Ils étaient comme deux adolescents assis sur un lit, main dans la main, qui se demandent s'ils vont avoir le courage de s'embrasser pour la première fois. Comparaison étrange, mais il y avait un temps d'arrêt dans ce moment, un temps qui ressemblait au *temps de l'innocence*. Heureusement, Mathilde relança la conversation :

« Je ne sais pas si je serai prête pour une autre histoire. En tout cas pas maintenant. J'éprouve un tel dégoût pour les hommes.

— …

— À part pour toi.

— Pour moi ?

— Plus je te vois, plus je te trouve merveilleux. Tu es brillant, attentif, et un très bon père. Ma sœur a tellement de chance.

— Je… je… merci… », balbutia Frédéric, alors qu'il sentait la pression de la main de Mathilde sur la sienne. Il voulait se lever, mettre fin à ce moment qui prenait une tournure gênante, mais quelque chose le retenait. Peut-être le sentiment qui l'avait effleuré après le concert, celui d'esquisser à nouveau les premiers instants de l'amour, où le fait de plaire à l'autre est un ravissement. Pourtant, il n'y avait aucune ambiguïté de sa part, il aimait Agathe, il ne l'aimait peut-être pas avec cette intensité du début, mais il savait qu'il ne pourrait pas vivre sans elle.

Il finit par se lever, et souhaiter bonne nuit à Mathilde. Elle s'allongea à nouveau, avant même qu'il ne quitte la pièce. Dans sa chambre, il retrouva sa femme. Agathe aussi était allongée, mais d'une manière différente. Comment était-ce possible? Comment deux positions presque identiques pouvaient-elles produire des impressions visuelles aussi différentes? «Alors? Elle a compris?» demanda Agathe. À nouveau, Frédéric mit un peu de temps avant de répondre: «Oui. Tout va bien.» Il éteignit la lumière, et cette plongée dans le noir le soulagea.

21

Le soir même, dans son lit, Hugo pensa: «Je crois que les femmes ne m'aiment pas.»

22

Non, Lili ne dormait pas à l'abri de l'hésitation permanente des adultes. Bien au contraire, elle ressentait puissamment les choses, et peut-être même les vibrations de l'avenir. En pleine nuit, elle se mit à pleurer. C'était sûrement un cauchemar.

Mathilde se leva et la prit dans ses bras, faisant quelques mouvements réguliers pour la bercer.

Elle finit par chuchoter : « Ne t'inquiète pas, ma chérie. Je serai toujours là pour toi. » Ces quelques mots apaisèrent le bébé, qui fit demi-tour vers le sommeil. Bien loin d'avoir agacé Mathilde, éveillée en plein sommeil, ce moment l'avait émerveillée. Rassurer un être humain si fragile, et éprouver le bonheur de le reposer réconforté dans son petit lit : la pure simplicité de ces gestes offre le sentiment que la puissance de la vie y est entièrement résumée. Mathilde demeurait bouleversée par cette interruption nocturne. Elle raffolait de sa nièce, elle aimait s'en occuper, aller au parc avec elle, mais quelque chose de plus fort venait de se produire. Mathilde avait les larmes aux yeux. Après la soirée du concert, c'était un nouveau signe du retour de la sensibilité dans sa vie. Pendant des semaines, elle s'était sentie comme arrachée à elle-même, et voilà que prendre Lili dans ses bras en pleine nuit la propulsait dans un état d'émotivité excessif. Elle aimait tellement cette enfant.

Agathe se rendait-elle compte de sa chance ? On aurait dit que non. Son bonheur lui paraissait évident, pour ne pas dire normal. Quand on a tout, on se dit que c'est dans l'ordre des choses. Elle n'a finalement jamais vécu le manque, ou la douleur, pensa Mathilde. Même pour la mort de leurs parents, il lui semblait à présent que sa sœur avait traversé cette épreuve avec plus de facilité qu'elle. Agathe possédait une indéniable aptitude au bonheur. Preuve suprême : elle travaillait dans une banque. C'est un environnement professionnel pour les gens heureux et équilibrés. Professeure de français, c'était l'opposé : une soumission quotidienne à l'interprétation des mots. Un métier qui rend instable. À vrai dire, le problème n'était pas le métier. Le vrai problème, c'étaient les livres. Mathilde en avait trop lu. On ne pouvait pas être heureux quand on avait trop lu. Tous les malheurs venaient de la littérature. Elle enviait le manque de culture littéraire de sa sœur ; elle enviait cette vie où Flaubert n'était qu'un vague souvenir scolaire.

Et puis, elle se remit à penser à la scène du cri de sa mère.

Scène lancinante, qui ne quittait jamais totalement son esprit. C'était là que toute sa vie avait basculé, pensait-elle. Elle avait été la première confrontée au drame. La chronologie avait joué en sa défaveur. C'était comme une évidence : *la première à être témoin du drame était celle qui allait souffrir*. Elle allait attraper la souffrance comme on attrape une maladie. Mathilde en était certaine : tout aurait été différent si elle avait dormi profondément et si c'était Agathe qui avait découvert leur mère gisant près du téléphone. Mais non, c'était elle qui avait entendu le cri, elle qui avait vu la première cette douleur qui conduirait à la mort. Et puis, elle n'avait pas réveillé sa sœur. Toute la nuit, Mathilde avait contemplé le visage heureux d'Agathe alors qu'elle entendait leur mère gémir de douleur. Tout s'était joué pendant ces quelques heures où les deux sœurs avaient vécu sur deux planètes opposées. Et aujourd'hui encore, Agathe flottait dans un bonheur inconscient tandis que Mathilde souffrait.

23

Le lendemain soir, comme chaque soir ou presque, Mathilde alla chercher Lili à la crèche. Avant de rentrer à la maison, elles s'arrêtèrent quelques minutes au parc. Une femme dit à Mathilde :
« Elle est très belle, votre fille.
— Merci beaucoup », répondit-elle avec un grand sourire.

24

Tout comme son mari, Agathe était un peu gênée d'avoir voulu organiser une rencontre avec un homme pour sa sœur. Bien sûr, cela partait d'un bon sentiment, mais il était évident qu'elle souffrait encore beaucoup du départ d'Étienne, c'était sans doute trop tôt. Mais il était si difficile de comprendre ce que Mathilde ressentait. Elle ne parlait pas, ne se confiait jamais. Il fallait respecter cette attitude, mais cela rendait la trajectoire de sa rémission confuse aux yeux des autres.

Agathe lui proposa de sortir boire un verre. Frédéric garderait Lili. Et puis, ça leur ferait du bien de prendre l'air. Au coin de la rue, il y avait un bar plutôt agréable. Mathilde remarqua d'emblée que la fréquentation du lieu était plutôt jeune :

« C'est là qu'on voit qu'on a pris un coup de vieux.

— Ah bon ? Moi je nous trouve plutôt sexy », répondit Agathe, marquant immédiatement son désir de placer la soirée sous le signe de l'optimisme.

Elles burent une bouteille, et même un peu plus, parlèrent de tout puis de rien, Agathe commençait à sentir l'ivresse monter en elle pendant que Mathilde se trouvait désespérément lucide. Il était temps d'aborder les vrais sujets.

« Comment te sens-tu en ce moment ? demanda Agathe.

— Bien. En tout cas mieux.

— Tu es sûre ? Tu peux tout me dire, tu le sais.

— Je sais.

— Parfois, j'ai l'impression que tu m'en veux.

— Pourquoi tu dis ça ? Tu fais tout pour moi. Sans toi, je ne sais pas où je serais… Je suis juste en colère contre ma vie.

— Tu ne devrais pas dire ça.

— C'est plus fort que moi.

— Je comprends…

— …

— Est-ce que je peux te poser une question ?

— Oui.

— Tu ne mentionnes plus jamais Étienne. Je voudrais juste savoir comment tu te sens… par rapport à lui.

— Je n'en parle pas, car je ne peux pas prononcer son nom. Que veux-tu que je te dise? Il m'a quittée, je ne peux rien y faire. C'est peut-être ça, le drame. Je dois accepter une situation que je refuse. Je pense tous les jours à lui, tout le temps. J'ai parfois envie de mourir quand je l'imagine avec l'autre. Je me dis qu'il va lui faire un enfant. Que ça sera infernal. Pour toujours. Et puis, à d'autres moments, j'accepte mieux la situation. En tout cas, je progresse. Je me dis même de temps en temps que notre histoire a été belle et que ce n'est déjà pas si mal.»

Elle avait prononcé ce discours d'une traite, comme s'il était déjà présent dans sa tête et qu'elle le répétait. Elle ne supportait pas de parler d'Étienne, mais elle avait accepté de répondre à sa sœur, avec toute la sincérité dont elle était capable. Il arrive qu'on se confie non par nécessité intérieure mais pour rassurer l'autre (une des perversions de la vie sociale). Sa sœur était sûrement adorable, mais franchement, que pouvait-elle comprendre à la douleur? Elle n'avait jamais été quittée. Elle n'était jamais allée en Croatie. Frédéric n'était pas sorti avec Iris avant de la connaître. Autant d'équations humaines qui la laissaient hors du champ de la compréhension.

La meilleure façon d'éviter de parler de soi est de mettre la lumière sur l'autre. Mathilde enchaîna :

« Et toi ?

— Moi ?

— Avec Frédéric ? Tu es heureuse ?

— Bien sûr. Je suis surprise que tu me poses cette question.

— C'est juste pour savoir. Je m'intéresse à ta vie. Vous êtes aussi épanouis qu'au début ?

— Oui... bien sûr... Enfin, c'est sûr, avec l'arrivée de Lili, c'est un peu différent. Et puis... »

Elle se tut, pour ne pas évoquer la présence de Mathilde au sein de leur foyer. Cette dernière préféra ne pas éluder le sujet :

« C'est sûr qu'avec moi... ce ne doit pas être facile, pour votre intimité. Je le sais.

— C'est certain qu'on serait mieux dans un plus grand appartement. Mais Frédéric est adorable, il ne fait jamais la moindre réflexion. On est là pour toi, tu le sais... mais bon... je voulais savoir comment tu vois les choses. Sais-tu combien de temps tu aimerais rester ?

— Je ne sais pas. Je peux aller chez des amis, si vous préférez...

— Non... non... tu es chez toi.

— ...

— Et pour ton travail ? Tu as eu des nouvelles ? Là aussi, c'est difficile d'avoir des informations avec toi. »

Cette soirée *décontractée* entre sœurs commençait à prendre l'allure d'un interrogatoire. L'éclair d'un instant, Mathilde songea à se lever pour partir. Elle n'avait pas à subir ça. Les questions pourtant justifiées d'Agathe lui semblaient des intrusions insoutenables. Elle se sentait humiliée. Elle résolut pourtant de faire bonne figure, et répondit :

« Oui, pardon. Je voulais t'en parler. J'ai enfin la date de mon passage en commission. Mon proviseur va me soutenir. Mais il n'y aura pas de surprise. Je ne pourrai reprendre mon travail qu'à la rentrée prochaine, et dans un autre établissement.

— Je suis désolée.

— C'est comme ça.

— Et financièrement, comme ça se passe ?

— D'ici là, je ne vais toucher qu'une partie de mon salaire. C'est pour ça que j'aurai du mal à reprendre un appartement avant septembre.

— Septembre…

— Oui.

— On peut t'aider si tu veux… pas beaucoup, mais tu aurais de quoi louer ton appartement.

— Tu veux à ce point-là que je parte ?

— Mais non ! C'est pour toi aussi. Pour reconstruire ta vie. Tu as besoin de te sentir chez toi.

— Je ne sais pas trop où j'ai besoin de me sentir.

— …

— Je peux aller à l'hôtel quelques jours si vous voulez respirer.

— Ça ne va pas ?! Tu prendras le temps qu'il te faut.

— Merci.

— Et puis, tu peux aussi sortir parfois le soir. Tu avais beaucoup d'amis.

— Oui, je vais vous laisser un peu de temps pour vous. C'est promis.

— Je dis ça surtout pour toi. Ça serait bien que tu voies des gens, que tu sortes. Te changer les idées[1].

— Eh bien justement, mentit Mathilde. J'ai rendez-vous demain avec une amie. Une ancienne collègue.

— Ah très bien… », répondit Agathe tout en levant la main pour demander l'addition. Elle était épuisée par la conversation et l'alcool. Elle voulait se reposer. Se sentant par avance incapable d'aller à la banque le lendemain, elle décida qu'elle invoquerait une fièvre imaginaire.

25

Il y a des gens qui ont toujours la même tête, c'est fascinant. Sabine faisait partie de cette catégorie. Mathilde retrouva un visage sur lequel on avait fait un arrêt sur image. Les deux anciennes collègues s'étaient donné rendez-vous dans un restaurant grec qui faisait des formules entrée plat dessert d'un très bon rapport qualité prix. Un critère qui n'avait aucun intérêt puisque Mathilde n'avait pas faim ; elle commanda un pichet de cinquante centilitres de vin rouge. Sabine en conclut

1. Encore une expression idiote, pensa Mathilde. Comme si on pouvait changer ses idées comme on change l'eau d'un vase.

que sa collègue était devenue alcoolique. Mais les déductions de Sabine étaient souvent hâtives.

En tout cas, elle paraissait émue que Mathilde l'ait appelée.

« Je me suis tellement inquiétée. Tu ne répondais plus. Je ne savais plus quoi faire.

— Je sais. Excuse-moi. Mais après ce qui s'est passé, j'avais besoin de me couper du monde.

— Tu aurais quand même dû me rappeler… », insista Sabine, culpabilisante, comme si c'était elle qui traversait une période difficile. Devant le silence de Mathilde, elle reprit avec un peu plus de douceur :

« Enfin j'imagine que tu devais te sentir très mal. Tout le monde n'a parlé que de ça au lycée. Je n'arrivais pas à le croire, mais les enfants me l'ont confirmé. Comment c'est possible, Mathilde ? Comment as-tu pu frapper un enfant ? Surtout Mateo que tu adorais…

— On se voit pour parler de ça ? Je me suis déjà expliquée.

— Pardon, j'ai du mal à comprendre, c'est tout. Tu as toujours été si attentive. Pour moi, tu étais la bonté incarnée. Enfin, tu l'es…

— … »

Mathilde ne répondit pas ; il lui sembla qu'on ne parlait pas d'elle. *La bonté incarnée.* Les dernières semaines avaient peu à peu effacé tout ce qu'elle avait été auparavant. Elle s'en souvenait à peine d'ailleurs. Sa mémoire était floue. Il lui fallait faire un effort de concentration considérable pour repenser à cette jeune femme dont on pouvait dire qu'elle était la bonté incarnée. Quand elle pensait à sa vie, elle ne voyait qu'une femme quittée par Étienne. Elle ne voyait qu'une professeure renvoyée de son établissement. Elle se résumait par ces deux faits ; deux actes qui avaient une forme d'emprise totalitaire sur son esprit. La souffrance avait effacé son passé. Il lui paraissait surréel qu'on puisse lui parler de la personne qu'elle était avant ; elle avait le sentiment qu'on évoquait une inconnue.

Mathilde finit par dire : « Je t'en prie, ne parlons pas de moi. Si je t'ai appelée, c'est pour me sortir de ma vie. Alors, j'ai évidemment pensé à toi, car parmi les personnes que je connais, tu es celle qui aime le plus parler d'elle. » Sabine, dont l'humour était assez limité, resta perplexe. Elle n'arrivait pas à savoir si la dernière phrase de Mathilde avait été une pique acide ou une touche bienveillante d'humour. Cela dit, elle n'avait pas tort. Sabine adorait raconter ses histoires. L'exclusion de Mathilde l'avait d'ailleurs plongée dans un immense désarroi. À qui allait-elle désormais se confier à la cantine ? Elle avait tenté de se rapprocher de Mireille Baluche, professeure d'histoire-géo en fin de carrière ; mais bon, Mireille ne savait même pas ce qu'était Tinder. Sabine n'avait pas envie de raconter sa vie sexuelle à une femme qui semblait avoir renoncé depuis des années, ou des décennies peut-être, au monde des hommes[1].

Alors elle avait erré un peu entre les oreilles de tous les collègues, avant d'abandonner ce plaisir qu'elle éprouvait à raconter ses aventures. Il était même probable qu'à une époque Sabine se soit plu à vivre des situations tordues dans le simple but de pouvoir les raconter à Mathilde ; elle était en ce sens une parfaite représentante de notre modernité. Elle vivait sa vie amoureuse comme un touriste dans un musée prend en photo un tableau au lieu de le regarder vraiment.

Comble de l'ironie : au moment où Mathilde réapparaissait dans la vie de Sabine, cette dernière n'avait plus grand-chose à raconter. Elle était heureuse, et le bonheur est d'un ennui mortel en termes de narration. Pourtant, Mathilde fit mine de tout vouloir savoir. Sabine avait rencontré Anthony sur Tinder ; il était bibliothécaire.

« Pour tout te dire, il ne me plaisait pas vraiment physiquement. Mais j'en avais marre des histoires sans lendemain. Les mecs mariés, les mecs hésitants, les mecs dont je sais qu'ils ne vont jamais

1. À vrai dire, Mireille Baluche avait tout de suite identifié la capacité sidérante de Sabine à déployer sa vie en monologues. Alors, elle avait fait semblant de ne rien comprendre à rien lors de leur première conversation, et le tour avait été joué. Elle pourrait continuer à manger tranquillement. Par ailleurs, la vie sexuelle de Mireille Baluche était beaucoup plus intéressante et surprenante qu'il n'y paraissait. Mais c'est une autre histoire.

se déconnecter de l'application, tout ça, j'avais donné. Alors quand je suis tombée sur sa fiche, je me suis attardée. Ce que j'ai aimé par-dessus tout, c'est qu'il avait pris sa photo de profil devant une bibliothèque. Tu ne te rends pas compte comme c'est rare. C'était même la première fois que je voyais ça. On s'est mis à discuter, et pour la première fois, je parlais avec un homme dont je sentais que le désir n'était pas de me rencontrer le plus vite possible. Il voulait me connaître. Il m'a posé plein de questions, tu vois. Ça aussi, c'était la première fois. En général, on me pose des questions, mais on n'écoute pas les réponses. On me survole en attendant de coucher avec moi. Lui, il s'est mis à s'intéresser vraiment. J'ai parlé de mon enfance et, grâce à lui, j'ai enfin mis des mots sur certaines choses que j'avais vécues. J'ai compris ma fragilité et la source du manque de confiance que j'avais en moi. Tu m'écoutes ?

— Oui bien sûr, mentit Mathilde.

— Ah d'accord. Tu avais l'air de penser à autre chose.

— Pas du tout. Et donc… vous vous êtes rencontrés ?

— Oui. Mais avant, je lui ai posé une dernière question. Tu veux savoir laquelle ?

— Oui », répondit Mathilde, trouvant assez insupportable cette façon qu'avait Sabine de toujours bien vérifier qu'on l'écoutait ou qu'on s'enthousiasmait à l'énoncé d'un nouveau détail ; parler ne lui suffisait donc pas, il fallait qu'on dresse un tapis rouge sous ses paroles.

« Depuis quelques semaines, je me suis pas mal remise en question. Niveau professionnel, je veux dire. Tu vas trouver ça idiot, mais je me demande vraiment à quoi ça sert d'être professeure d'espagnol. Je sens bien que tout le monde s'en fout de plus en plus des profs d'espagnol. L'essentiel, c'est de parler anglais. Alors voilà, j'ai demandé à Anthony ce qu'il en pensait. Je lui ai demandé quel était selon lui l'intérêt d'enseigner l'espagnol. Et tu sais ce qu'il m'a répondu ?

— Non, répondit Mathilde, consternée par cette dernière relance, comme s'il était humainement possible qu'elle soit au courant de la réponse du bibliothécaire.

— Il m'a dit : "Grâce à toi, tes élèves vont pouvoir lire Roberto Bolaño dans sa langue. Et ça, c'est merveilleux." Tu te rends compte ? J'ai adoré sa réponse. Je me suis dit que ça avait effectivement un sens. J'ai d'ailleurs fait lire toute la première partie de *2666* à mes élèves et certains ont été émerveillés par la beauté étrange de son univers. Tu l'as lu, toi ?

— Non », mentit à nouveau Mathilde. Elle avait évidemment lu Bolaño mais répondre oui comportait un risque que la conversation verse dans une analyse de son œuvre ; Mathilde n'avait aucune envie de partager le moindre ressenti littéraire avec Sabine.

La soirée devenait insupportable. Le récit de Sabine dégoûtait Mathilde. Elle n'était donc plus cette jeune femme qui représentait *la bonté incarnée*. Peut-on devenir méchant à l'épreuve de la souffrance ? Il fallait croire que oui. Si la vie me violente, alors je deviens violente, tel aurait pu être le nouveau leitmotiv de Mathilde. Pendant qu'elle pensait à cela, Sabine continuait de dérouler les épisodes de sa nouvelle vie avec Anthony. À aucun moment, elle n'eut la décence de se souvenir qu'elle était face à une jeune femme qui traversait une crise particulièrement douloureuse, et même si cette dernière l'avait poussée à parler d'elle, elle aurait pu tout de même être rattrapée par une forme de pudeur. Ou de décence. Loin de là. Tout y passa. Les premiers rendez-vous, le détail des menus au restaurant, les films vus au cinéma, le premier baiser et la découverte des corps, les conversations qui n'en finissent plus (ça, c'était le plus facile à imaginer pour Mathilde), les récits de la vie de chacun, avec un très long passage sur l'enfance, notamment celle d'Anthony à Reims, un petit détour justement par cette ville et l'analyse de sa cathédrale, des envies de voyage à Berlin, Tokyo, Honolulu, quelques légères tensions à l'évocation des convictions politiques, la présentation à la famille, ce qui représente un grand moment, l'évocation de leurs anciennes histoires d'amour, Anthony évitant d'abord d'avouer qu'il avait été tenté par l'homosexualité, Sabine qu'elle avait couché avec beaucoup d'hommes, bref tout cela s'organisait comme un beau roman, et c'était un roman qui aurait pu durer encore et encore, mais à cet instant précis, en plein milieu d'une anecdote ahurissante, le fait qu'ils avaient croisé pas plus tard qu'hier Alain Souchon dans la rue, incroyable non ?, son récit fut coupé net par l'intervention de Mathilde :

« Je m'en fous.

— Quoi ?

— Tout ce que tu me racontes, je m'en fous. Tu ne peux pas imaginer à quel point je m'en fous. C'est le cas pour tout ce que tu me racontes depuis toujours. Ta vie est la chose la moins intéressante du monde, à mes yeux. Je préférerais me crever les tympans plutôt que de continuer à t'écouter.

— …

— Si je t'ai vue ce soir, c'est uniquement pour donner un gage à ma sœur. Elle veut que je sorte, que je reprenne une vie sociale. Et je ne sais pas pourquoi j'ai été idiote au point de penser à toi. Je ne me souvenais pas de la torture que cela représentait.

— …

— En revanche, il y a une chose sur laquelle je suis d'accord avec toi : ton Anthony, il doit être assez génial. Car pour te supporter, faut vraiment être solide.

— …

— Je te laisse payer. Tu sais bien que je n'ai plus de travail », dit Mathilde en se levant pour quitter le bar.

Sabine resta en état de choc pendant quelques minutes. Ses larmes aussi étaient en état de choc si bien qu'elles ne parvenaient pas à sortir. Elle finit par reprendre ses esprits, paya et sortit à son tour.

Elle n’avait qu’une envie : retrouver Anthony pour lui raconter tout ce qui venait de se passer.

26

Le lendemain matin, Agathe posa quelques questions à sa sœur concernant sa soirée. Elle esquiva, disant simplement à quel point il avait été émouvant de revoir cette amie.

27

Quelques jours plus tard, Agathe demanda à sa sœur :

« Mardi prochain, nous sommes invités à une soirée extraordinaire avec Frédéric. C’est au Grand Palais. En plus, il y aura Macron. Je rêve de le rencontrer ! Ça t’ennuie de garder Lili ?

— Mardi prochain ?

— Oui.

— Je suis désolée. C’est l’anniversaire de Sabine et je lui ai promis de venir.

— Ah pas de souci. On prendra une baby-sitter. Et tant mieux si tu as une soirée. Tu sais ce que tu vas lui offrir ?

— Oui. Sûrement un livre de Bolaño.

— Ah, je ne connais pas. »

Mathilde voulut répondre : « Oui, je me doute

que tu ne connais pas», mais elle préféra conserver cette phrase en elle. Il lui arrivait de plus en plus souvent de refréner des piques qu'elle voulait lancer à sa sœur. Mieux valait éviter d'envenimer la situation. Le fait de vivre ensemble, de surcroît dans un espace assez restreint, avait accentué la difficulté de tolérer le caractère de l'autre. C'était surtout un sentiment éprouvé par Mathilde. Elle jugeait négativement les attitudes d'Agathe, la trouvant souvent simplement idiote. Elle avait une façon de s'exciter parfois comme une adolescente débile: «Il y aura Macron. Je rêve de le rencontrer!» Et puis, sous ses airs bienveillants, elle cachait une personnalité plus perverse. Malgré ce qu'avait déclaré Frédéric, il était évident que c'était Agathe qui cherchait à la chasser. Elle n'osait pas le lui dire frontalement, elle faisait mine de pouvoir attendre, mais Mathilde n'avait plus le moindre doute: sa sœur voulait se débarrasser d'elle.

Il y avait un autre fait étrange qui s'était produit deux jours auparavant. Mathilde jouait avec Lili dans la chambre, et lui faisait des chatouilles. La petite fille s'était mise à rire comme les enfants peuvent rire, d'une manière absolue, extatique. C'était un moment privilégié entre la tante et sa nièce. Agathe était entrée dans la chambre et avait observé la scène. Elle était restée un court instant silencieuse avant de dire: «Ça s'amuse bien ici...» Le ton avait été sec, et même: on pouvait y ressentir une pointe d'amertume, pour ne pas dire de jalousie. Les dernières semaines, Mathilde s'était incontestablement rapprochée de sa nièce. Une forme de connivence sensorielle. Lili aimait être dans les bras de sa tante, raffolait de son contact, et il lui arrivait de ne pas paraître aussi réjouie quand elle était tout contre sa maman. Agathe éprouvait sûrement ce que ressentent certaines mères qui travaillent trop, ou de familles bourgeoises, quand elles constatent que leurs enfants expriment une affection encore plus intense pour leur nounou que pour elles. Bien sûr, elle était heureuse du lien qui se tissait entre sa fille et sa sœur, mais elle savait que cette relation devrait, à un moment, changer de nature. Cela permettrait à Lili de se concentrer sur sa maman. Mathilde se trompait en décelant de la jalousie ; on y était presque, mais elle n'était pas advenue encore ; disons qu'on se promenait sur le rivage de la jalousie.

28

Le mardi suivant, Mathilde se prépara pour aller à cette soirée d'anniversaire qui n'existait pas. Le reflet parfait de son existence. Il lui semblait vivre chaque jour davantage *une vie qui n'existait pas*. Elle errait dans un royaume où ses actions n'arrivaient pas à s'incarner concrètement. Si son passé devenait flou, l'avenir prenait la forme d'une lubie à laquelle personne ne pouvait croire. Les deux sœurs se souhaitèrent mutuellement une bonne soirée, et Mathilde ajouta : « Tu embrasseras bien Emmanuel pour moi. » Avec un sourire qui lui barrait le visage, Agathe répondit qu'elle n'y manquerait pas. Rien ne valait un petit trait d'humour, y compris le plus dérisoire ou le plus minable, pour faire croire que tout allait bien. Leur relation devenait franchement pathétique.

Mathilde opta pour un bar à l'autre bout de la ville, où elle serait sûre de ne croiser personne de sa connaissance. Elle avait hésité avec une ou deux séances de cinéma, mais elle n'était pas parvenue à se résoudre à y aller seule ; avec Étienne, c'était l'une de leurs occupations favorites. Ils étaient abonnés et allaient voir tout et n'importe quoi. Pratiquement tous les dimanches[1]. Elle avait donc préféré ce bistrot assez glauque et, comme pour aggraver la déchéance du moment, s'installa tout au fond de la salle, près des toilettes. C'était une arrière-salle perfusée aux néons fatigués. À part être en cavale ou un couple illégitime (ce qui revient au même), il n'y avait aucune raison

1. Mathilde pensa subitement à sa carte de cinéma qu'elle ne rentabilisait plus. Au début, c'était une très bonne formule car les places revenaient bien moins cher. C'était à se demander comment les exploitants y trouvaient leur compte. À vrai dire, il leur suffisait d'attendre un peu. Les salles qui proposaient cette offre devaient se dire qu'un jour ou l'autre l'abonné se ferait larguer, et continuerait à payer son abonnement sans plus aller au cinéma. Au vu de l'instabilité des vies sentimentales contemporaines, on finissait toujours par se faire avoir. Qui pouvait, avec le cœur brisé, se déplacer à la poste pour envoyer une lettre recommandée en vue d'une quelconque résiliation ? Toute offre commerciale aguichante ne reposait que sur le potentiel désespoir à venir du client.

humaine valable pour s'installer ici. Étrangement, Mathilde s'y sentit plutôt bien. C'était un endroit qui n'entrait pas en collision avec le moindre de ses souvenirs. On pouvait tout à fait se dépayser avec la laideur d'un lieu. Elle perçut, de l'autre côté, deux hommes qui semblaient parler en polonais.

La serveuse s'approcha. Elle se posta devant Mathilde sans rien dire. Perdait-elle une partie de son salaire à chaque fois qu'elle prononçait un mot ? Elle attendait bien sagement que la cliente face à elle précise spontanément la raison liquide de sa présence. Mathilde finit par demander un whisky sans glaçons, toujours sans avoir entendu le son de la voix de la serveuse. Cette femme était peut-être un génie de l'avant-garde, et tentait de travailler sans s'exprimer. Il y avait une autre possibilité : elle savait parfaitement que quand on venait là, au fin fond de ce bar glauque, c'est qu'on n'avait pas envie de parler.

Mathilde enchaîna trois whiskies sans même se sentir étourdie. Avant, deux coupes de champagne suffisaient à la faire tituber. La souffrance condamne à la lucidité. Il est de plus en plus difficile de s'échapper de soi. Un homme d'une cinquantaine d'années vint s'asseoir près d'elle. Mathilde vit immédiatement qu'il tentait encore d'apparaître sous son meilleur jour, alors que sa simple présence ici suffisait à le déchoir du monde de la réussite. Bedonnant, on devinait qu'il buvait beaucoup ; il était clair que son ventre gonflé avait un lien avec l'ingurgitation massive de bière. Il finit par s'adresser à Mathilde :

« Tu es trop jolie pour être là. C'est quoi ton problème ?

— Je n'ai pas de problème. Sauf si vous me parlez.

— Arrête ton cinéma. Si tu es là, c'est que ça ne va pas. Et si ça ne va pas, ça fait toujours du bien de parler. Surtout à un inconnu. Et encore plus à un inconnu bourré qui ne se souviendra même pas demain de ce que tu auras raconté.

— Qu'est-ce que tu me veux exactement ? fit Mathilde avec agressivité, tutoyant l'homme à son tour.

— Rien de spécial.

— Tu veux coucher avec moi ?

— Pardon ?

— C'est ça que tu veux ? Ne me fais pas croire que tu me parles pour t'intéresser à ma vie. Qu'est-ce que tu peux bien t'en foutre de ma vie ? Tu veux juste me baiser. C'est sûr que c'est une aubaine pour un vieux dégueulasse comme toi de croiser une jeune femme un peu paumée. Tu te dis que ça ne coûte rien de tenter. Eh bien, tu as bien fait. C'est ton jour de chance. J'ai envie de me faire prendre. Je ne suis pas certaine que tu puisses y arriver avec tout ce que tu picoles, mais on peut toujours essayer. Alors, on y va ? Tu habites où ?

— … »

L'homme habitait juste au-dessus du bar. Il n'en revenait pas. Un instant, il avait été traversé par l'idée que cette femme était peut-être folle et allait le tuer ; mais tout le monde les avait vus sortir du bar ensemble. Non, elle devait être nymphomane. C'était l'hypothèse la plus probable. Mais quelque chose n'allait pas. Il le sentait que ce n'était pas ça. Bien sûr, on ne peut pas lire la vie sexuelle d'une personne sur son visage, mais il avait l'intuition que cette femme n'avait pas fait l'amour depuis longtemps. On aurait dit qu'elle sortait de prison, et prenait le premier type venu. Mais… elle était vraiment belle. Elle aurait pu avoir n'importe quel homme. Alors, pourquoi lui ? Il se sentait subjugué par sa beauté, une émotion si intense qu'il serait bien incapable de lui faire l'amour.

À peine étaient-ils entrés dans l'appartement, tout aussi minable que le bar d'en bas, qu'elle poussa l'homme vers le canapé. Elle se mit aussitôt à caresser son entrejambe, puis dégrafa son pantalon. Son sexe était caché sous les replis de son ventre, Mathilde refréna un instant son dégoût. Elle était absolument lucide. Son attitude n'avait rien à voir avec l'alcool. Plusieurs fois, elle s'était posé la question : est-ce que ce ne serait pas la meilleure façon d'oublier Étienne que de salir son corps ? Coucher avec n'importe qui, les hommes les plus insignifiants, diluer le souvenir du corps d'Étienne dans une multitude d'autres corps. La vérité était tout autre. Elle ne valait plus rien. Elle voulait être froissée, méprisée, pourquoi pas violentée, pour se sentir en adéquation avec ce qu'elle pensait d'elle-même.

Quand elle attrapa le sexe dans sa bouche, il se mit tout de même à durcir. Mathilde s'appliqua comme si sa survie dépendait de la jouissance de cet homme. Il gémissait de plus en plus fort, poussait des râles d'animal. Il finit par poser sa main sur la tête de Mathilde, l'appuyant avec vigueur pour accompagner les mouvements. L'homme finit par jouir en émettant un cri de satisfaction. Il lui intima de rester ainsi encore un peu, jusqu'aux derniers spasmes du plaisir. On ne pouvait pas voir grand-chose dans la pénombre, impossible de connaître l'état d'esprit de cette fille. À vrai dire, elle ne savait pas elle-même ce qu'elle pensait. Un instant, pendant la fellation, elle avait hésité à sombrer dans la violence, et mordre le sexe jusqu'au sang ; mais finalement, elle avait décidé de le satisfaire pleinement. Elle avait encore la bouche pleine de sa semence quand elle se décida à l'avaler. Elle caressa encore un moment l'homme, puis elle se leva subitement et partit.

29

En rentrant, Mathilde constata que tout le monde dormait déjà. La baby-sitter était partie. Il était pourtant tout juste minuit. Une fois dans la chambre, elle s'approcha du petit lit. Lili avait les yeux grands ouverts. Mathilde pensa qu'elle l'attendait pour s'endormir.

30

Pendant la nuit, Mathilde fut réveillée par des bruits en provenance de la salle de bains. Quelqu'un semblait vomir. Le lendemain matin, elle découvrit une Agathe blafarde.

« Tu as trop bu hier ? demanda Mathilde.

— Non même pas. Je ne sais pas ce que j'ai.

— Et la soirée, c'était bien ?

— Pas si bien. Macron n'est même pas venu en plus. On est rentrés assez tôt. Et toi ?

— Très sympa. J'ai revu d'anciens collègues. Cela m'a fait du bien.

— Ah tant mieux. Je vais rester à la maison aujourd'hui. J'ai prévenu à la banque.

— Tu as raison.

— Tu peux emmener Lili à la crèche ?

— Et pourquoi on ne la garderait pas avec nous ? On resterait toutes les trois à la maison.

— Oui… si tu veux », répondit Agathe, alors qu'elle pensait le contraire. Elle se sentait tellement mal qu'elle ne voulait pas avoir sa fille dans les pattes, mais il était compliqué de dire non à une telle proposition sans prendre le risque de passer pour une mère peu aimante.

Agathe retourna au lit, pendant que Mathilde préparait le petit déjeuner de Lili. Chaque jour la petite fille semblait différente. Au cours des deux derniers mois passés ensemble, sa tante avait constaté cette évolution progressive, inéluctable. Quel serait son avenir ? Une vie bien heureuse, avec ses gentils parents. Elle souffrirait sûrement un jour ou l'autre à cause d'un homme. Ou peut-être serait-ce le contraire ? Il n'y a finalement que deux camps. Les vainqueurs et les vaincus. Mathilde n'avait plus de doute : elle faisait partie de cette seconde catégorie. Et il semblait impossible de changer d'équipe. À moins d'être Alice au pays des merveilles et de trouver une sorte de passage vers un monde magique. Mathilde était désormais persuadée que son chemin ne conduirait qu'à des impasses. À la rentrée prochaine, elle reprendrait le travail. Avec son seul salaire, il était évident qu'elle ne pourrait pas emménager dans un trop grand appartement. Un jour ou l'autre, elle apprendrait qu'Étienne s'était marié avec Iris, ou qu'ils avaient un enfant. Peut-être même deux déjà. Et elle ne devrait rien dire. Ce ne serait plus sa vie. Elle aurait définitivement coupé les ponts avec tous leurs amis communs, ce qui aggraverait sa solitude. Resterait la question de sa vie sentimentale. Elle pourrait faire comme Sabine, s'inscrire sur les réseaux sociaux et les sites de rencontres, enchaîner les rendez-vous dans l'espoir de trouver la bonne personne, celle qui lui ferait oublier Étienne, qui lui ferait croire que l'amour était encore possible. Mais non, ce n'était pas possible. L'amour était mort. Elle ne pourrait plus jamais espérer quoi que ce soit. Elle finirait par sortir avec un collègue. Peut-être un professeur d'histoire-géo. Elle le voyait déjà ; il était si facile à imaginer : grand, maigre, il portait des chemisettes dès le mois de mars, offrant ainsi aux regards ses longs bras poilus. Ils emménageraient ensemble au bout de quelques mois dans un plus grand appartement, et le soir ils parleraient des problèmes au lycée, et de certains élèves. L'été, ils iraient en Espagne, ou bien visiter la famille de Mathieu dans la Drôme ou le Puy-de-Dôme. Ah oui, il s'appellerait Mathieu. Et on dirait que c'est drôle Mathieu et Mathilde, car ça se ressemble un peu, ça voulait dire qu'ils étaient faits l'un pour l'autre, c'est sûr. Ils auraient un fils puis une fille quatre ans plus tard. Le premier se passionnerait pour le foot, et la seconde ferait de la danse. Le quatuor parfait sur la photo. Plus personne ne pourrait savoir que Mathilde faisait encore et toujours partie du camp des vaincus. Et le fait de croiser un jour par hasard Étienne dans la rue lui confirmerait son ressenti. Ils échangeraient quelques banalités, elle le trouverait toujours aussi beau, et cela lui ferait encore mal. Ils éviteraient de parler trop concrètement de leurs vies, comme pour ne pas blesser davantage leurs souvenirs. Cette rencontre fortuite perturberait Mathilde, et le soir même, une fois les enfants couchés, elle se servirait un verre de vin dans la cuisine. Puis un deuxième. Quelques mois plus tard, elle prendrait un amant. Ils coucheraient de temps à autre, et elle y prendrait du plaisir. Elle ne penserait qu'à ça, ses rendez-vous sexuels secrets. Et puis elle se rendrait compte qu'à nouveau c'était une impasse. Tout comme ce qu'elle ressentait avec ses enfants ;

l'amour maternel semblerait avoir succombé en même temps que l'amour sentimental. Heureusement, Mathieu serait un père formidable. Ça au moins elle ne l'aurait pas raté. Il demeurerait toujours attentif, mais elle s'ennuierait de plus en plus à ses côtés, si du moins il lui était déjà arrivé de ne pas avoir été plombée par une seule de leurs conversations. Pourtant, elle ne le quitterait pas. Elle aurait un autre amant, et un autre encore. Et puis les enfants quitteraient le foyer. Mathieu et Mathilde auraient une nouvelle vie à mener. Il travaillerait sur un vague projet de roman historique qui ne verrait jamais le jour. Et elle finirait par le quitter pour arpenter encore quelques territoires non défrichés du camp des vaincus.

Elle ne put savoir la suite de son histoire tracée, car sa sœur l'appela.

« Comment te sens-tu ?

— J'ai beaucoup vomi, mais ça va un peu mieux, répondit Agathe.

— Tu veux que je te prépare une tisane ?

— Oui. Merci d'être là.

— Je t'en prie. »

Mathilde alla en cuisine préparer le breuvage. Lili rampait près d'elle. C'est alors que Mathilde fut frappée par une intuition. En retournant près de sa sœur, elle lui demanda :

« Tu es sûre que tu n'es pas enceinte ?

— Ah bon, tu crois ?

— Tu n'as pas bu tant que ça. Tu vomis…

— Mais je prends la pilule…, dit doucement Agathe, un peu gênée.
— Ça t'est arrivé de l'oublier…
— Peut-être, oui, avoua-t-elle.
— Bon, je vais faire un tour avec Lili, et j'en profite pour t'acheter un test de grossesse.
— Merci. »

C'était tout à fait son genre, de ne pas être totalement honnête. Tout à fait son genre de ne prendre la pilule qu'à moitié. Elle était fourbe. Elle agissait tout le temps ainsi. Comme quand elle lui avait présenté un homme sans le lui dire frontalement. Elle mettait les autres devant des situations, et ils ne pouvaient plus rien dire après. Toute leur enfance, il en avait été ainsi, maintenant qu'elle y pensait. C'était une égoïste, rien qu'une égoïste. Et puis Lili était si petite. Elle s'en occupait à peine, alors quelle idée de faire un autre enfant. Pour la photo, rien que pour la photo. Et contre elle aussi. Pour enfoncer le clou de sa supériorité. C'était une façon de lui dire : « Tu vois, Mathilde, tu continues à n'avoir rien, et moi je continue de parachever ma vie parfaite. » Tout était trop injuste, elle n'allait pas en plus avoir un deuxième enfant.

31

Il fallait croire que si.
Le test se révéla positif.

Agathe se jeta dans les bras de sa sœur.

Mathilde, effrayée, fit mine d'être heureuse.

« Surtout, tu ne dis rien à Frédéric, précisa Agathe.

— Ah non pourquoi ?

— Tant que je n'ai pas atteint les trois mois, je préfère qu'il ne sache pas.

— Tu as peur qu'il te demande d'avorter ?

— Mais non… pas du tout…, répondit Agathe, choquée. C'est juste par superstition. Je préfère le lui dire quand c'est sûr… »

32

Était-ce la merveilleuse nouvelle, ou la tisane préparée par sa sœur, quoi qu'il en soit Agathe se sentit nettement mieux dans le courant de l'après-midi. Elle alla prendre une douche, s'habilla et fit un peu de rangement. Lili faisait sa sieste depuis presque une heure. Il faisait particulièrement beau cette après-midi-là.

Agathe demanda à sa sœur de venir l'aider pour couper, sur le balcon, quelques branches de lierre qui devenaient envahissantes. Mathilde accepta sans le moindre enthousiasme mais, après tout, l'hébergement comportait quelques devoirs. Elle alla chercher un gros pull dans la chambre ; malgré les rayons du soleil, elle sentait qu'elle allait geler dehors. Agathe fit un tour d'horizon assez rapide des pots de fleurs au sol. Les pétales semblaient nager dans le bonheur. Puis elle ouvrit son escabeau et grimpa trois marches avec ses ciseaux. Comme elles l'avaient déjà fait une fois, Mathilde devait tenir sa sœur par la taille. Agathe, sur un nuage, coupait les feuilles en s'excusant auprès d'elles, telle une héroïne de dessin animé parlant aux arbres et aux animaux. Agathe redescendit et positionna l'escabeau à deux mètres sur sa gauche ; elle monta à nouveau les trois marches. Le vide était devant. Elle se pencha. Et c'est à cet instant précis que Mathilde la poussa d'un coup net et franc.

Agathe bascula immédiatement sans même se rendre compte de ce qui se passait. Elle chuta en poussant un cri d'une violence insoutenable. On aurait pu croire que le cri avait duré longtemps, et peut-être même dure-t-il encore dans les oreilles de Mathilde, mais non, il avait à peine excédé deux ou trois secondes, remplacé par un bruit sourd et abrutissant : le bruit du choc de son corps sur le sol. Elle était morte sur le coup.

33

Les témoins de la chute levèrent les yeux vers l'immeuble. Mathilde s'était reculée à temps, et était allée réveiller Lili. On appela les secours, même s'il n'y avait rien à secourir. Les pompiers montèrent dans l'appartement et Mathilde, sous le choc, avec un bébé dans les bras, répétait que c'était horrible.

On prévint Frédéric qui rentra aussitôt du travail. Il s'effondra face au corps de sa femme toujours au pied de l'immeuble, recouvert d'un drap. Des larmes jaillirent de ses yeux d'une manière spectaculaire. Une fois chez lui, il appela l'une de ses cousines pour qu'elle vienne chercher Lili. Ni lui ni Mathilde n'étaient en état de s'occuper de la petite. Après les pompiers, ce fut au tour des policiers de venir. Ils durent interroger Mathilde pour essayer de comprendre ce qui s'était passé. Elle hoquetait, n'arrivait pas à enchaîner les phrases, parvint juste à dire qu'Agathe était malade aujourd'hui, et qu'elle était bien trop faible pour se lever et aller couper les lierres. Elle avait essayé de l'en dissuader d'ailleurs, lui intimant de rester au lit, mais rien à faire, quand elle avait une idée en tête, on ne pouvait rien faire. « Oui, c'est vrai », confirma Frédéric. Le policier demanda à Mathilde ce qu'elle faisait au moment du drame : « J'étais avec Lili. Nous étions en train de jouer. »

ÉPILOGUE

Le jour de l'enterrement, Frédéric semblait perdu. Aucun son ne parvenait à sortir de sa bouche. De toute façon, il n'y avait rien à dire. La famille, les amis, les proches, les collègues, tous formaient une foule qui paraissait elle aussi morte. Mais au moment où le cercueil d'Agathe s'enfonça dans la terre, Frédéric émit un cri de douleur. Mathilde pensa à sa mère ; c'était pratiquement le même cri ; les douleurs se réunissaient.

Il y eut ensuite une sorte de cocktail un peu pathétique. Que se dire dans ces moments-là ? On évoquait beaucoup Lili. L'idée qu'il fallait continuer à vivre pour elle. Oui, bien sûr, balbutiait Frédéric. Les enfants sont des raisons de vivre, continuait-on à dire. Et il s'était mis alors à sangloter en pensant que sa fille n'aurait plus jamais sa maman auprès d'elle. C'était le plus insupportable à ses yeux ; il ne pensait pas à lui en tant que veuf, mais bien davantage à Lili en tant qu'orpheline. Il savait que l'amour de sa propre mère avait été déterminant dans sa construction et sa confiance en lui. Elle n'avait pas pu faire le déplacement jusqu'à Paris ; elle vivait à Nice, de plus en plus malade ; et la nouvelle de la mort atroce de sa belle-fille l'avait anéantie. Bientôt elle mourrait à son tour.

Mathilde restait en retrait. À chaque fois qu'on venait la voir pour lui présenter des condoléances, elle fuyait. Tout comme Frédéric, elle se sentait incapable de parler. Elle demeurait dans un étrange brouillard, et la plupart du temps elle n'avait plus du tout conscience de sa responsabilité. Elle croyait la version officielle, celle d'une chute idiote, un jour où Agathe fébrile et malade avait pris le risque inconsidéré de tailler son lierre. De sorte que son attitude ne trahissait pas la moindre culpabilité. Et puis la réalité revenait au premier plan de sa mémoire ; et c'était comme une acidité devant ses yeux.

Hugo s'approcha timidement d'elle. Dans un premier temps, elle ne le reconnut pas. Il exprima sa désolation, et c'est en se focalisant sur la bouche de cet homme, et en se souvenant de sa façon de manger des cacahuètes, qu'elle se souvint de lui et de la rencontre organisée. Mathilde l'embrassa chaleureusement sur les deux joues, comme pour compenser sa froideur passée. Hugo se révélerait un ami formidable pour Frédéric, toujours disponible pour l'aider et le soutenir. Y compris dans sa vie professionnelle. Il rencontrerait bientôt une femme lors d'un colloque en province, et il serait enfin heureux.

Ensuite, tout le monde rentra chez soi.

Et les semaines passèrent.

Un jour, Frédéric rangea dans le tiroir de la table de nuit une photo d'Agathe qui était posée dessus. C'était trop douloureux de se réveiller tous les matins avec cette image. Et puis, tout le monde lui disait qu'il devait aller de l'avant. Il fut surpris parfois de passer deux ou trois heures sans penser à la mort d'Agathe, comme s'il était finalement possible de vivre sans elle.

Chaque soir, son bonheur était de retrouver Lili.

Mathilde s'occupait de sa nièce avec un tel dévouement qu'elle en devenait naturellement une mère de substitution. Elle allait bientôt reprendre le travail, et pourrait louer un nouvel appartement, mais préférait rester auprès de Frédéric pour s'occuper de lui et de Lili. Elle se sentait à sa place. Il lui semblait même que ce qu'elle éprouvait était inédit. Avec Étienne, il y avait toujours eu une forme d'inconfort ; l'amour passionnel vous pousse à emmitoufler le moindre de vos gestes, à anticiper de manière excessive les réactions de l'autre, à vous perdre finalement dans le dédale de l'anarchie du cœur. Mathilde était sereine, à présent ; elle s'occupait d'un homme ; elle s'occupait d'une petite fille. Elle avait voulu cette place. C'était celle qui lui revenait. Elle comprenait tout, maintenant. Elle avait agi pour trouver le bonheur. Comment se sentir coupable ? Tout autour d'elle, la joie reprenait sa place, de manière encore plus éclatante. La veille, Frédéric avait même éclaté de rire en plein dîner. Et pendant ce temps, Lili dormait, un sourire paisible sur le visage. Oui, c'était incontestable. C'était cette vie-là qui l'attendait. Mathilde avait simplement su la saisir. Bientôt, elle proposerait à Frédéric de prendre une baby-sitter pour qu'ils puissent sortir tous les deux. Peut-être même iraient-ils à nouveau écouter du Schubert. Ils avaient été si heureux, ce soir-là. Ils pourraient encore marcher dans la nuit en évoquant leurs impressions, ce serait merveilleux, parfaitement merveilleux, et plus rien alors ne pourrait les arrêter.

Non, plus rien. Mathilde avait agi pour changer de camp. Elle était une gagnante. Elle venait de recevoir sa nouvelle affectation dans un lycée assez proche de l'appartement. C'était parfait. Bientôt, elle parlerait à nouveau de Flaubert. Bientôt, elle croiserait Étienne et Iris dans la rue, et cela lui serait indifférent. Même le ventre arrondi d'Iris la laisserait de marbre. Au contraire, elle n'aurait qu'une envie : les remercier. Sans eux, elle n'aurait pas pu connaître son bonheur actuel. Elle enverrait un cadeau pour la naissance de leur fils.

Chaque soir, Frédéric et Mathilde dînaient ensemble ; à présent, ils évoquaient moins les souvenirs avec Agathe ; elle avait quitté progressivement leurs conversations. Il parlait de son métier (sa passion avait été un élément déterminant de sa force de survie). Elle évoquait Flaubert, lui en lisait parfois des passages le soir. Lui qui n'avait jamais vraiment lu de roman était de plus en plus émerveillé. En pleine *Éducation sentimentale*, ils entendirent Lili pleurer. Mathilde interrompit la lecture pour aller prendre la petite fille dans ses bras. Quelques minutes plus tard, elle s'était endormie à nouveau. Mathilde était revenue dans le salon :

« C'est bon, elle dort.

— Merci.

— De rien.

— Tu t'occupes si bien de Lili. Je ne sais pas comment te remercier… pour tout ce que tu fais.

— Ne dis pas ça. C'est normal.

— … »

Mathilde se réinstalla sur le canapé, reprenant son livre. Mais elle ne redémarra pas la lecture. Elle sentait sur elle le regard de Frédéric ; alors qu'elle évitait que leurs yeux se croisent, il finit par lui dire : « Agathe a eu tellement de chance d'avoir une sœur comme toi. »

Juste après avoir prononcé ces mots, il approcha sa main du visage de Mathilde. Une mèche balayait son visage, cachant son œil gauche. Il la positionna délicatement derrière son oreille.

DU MÊME AUTEUR

Aux Éditions Gallimard

INVERSION DE L'IDIOTIE
ENTRE LES OREILLES
LE POTENTIEL ÉROTIQUE DE MA FEMME (Folio nº 4278)
QUI SE SOUVIENT DE DAVID FOENKINOS ?
NOS SÉPARATIONS (Folio nº 5425)
LA DÉLICATESSE (Folio nº 5177)
LES SOUVENIRS (Folio nº 5513)
JE VAIS MIEUX (Folio nº 5785)
CHARLOTTE (Folio nº 6135), prix Renaudot et Goncourt des lycéens 2014
LE MYSTÈRE HENRI PICK (Folio nº 6403)
VERS LA BEAUTÉ (Folio nº 6640)
DEUX SŒURS (Folio nº 6800)

Dans la collection «Livres d'Art»

CHARLOTTE, avec des gouaches de Charlotte Salomon (Folio nº 6217)

Aux Éditions Flammarion

EN CAS DE BONHEUR (J'ai Lu nº 8257)
CÉLIBATAIRES, théâtre
LA TÊTE DE L'EMPLOI (J'ai Lu nº 11534)
LE PLUS BEAU JOUR, théâtre

Aux Éditions Grasset

LES CŒURS AUTONOMES (Le Livre de Poche nº 32650)

Aux Éditions Plon

LENNON (J'ai Lu nº 9848)

Aux Éditions Albin Michel Jeunesse

LE PETIT GARÇON QUI DISAIT TOUJOURS NON, en collaboration avec Soledad Bravi

LE SAULE PLEUREUR DE BONNE HUMEUR, en collaboration avec Soledad Bravi

COLLECTION FOLIO

Dernières parutions

6607. Fabrice Caro	*Figurec*
6608. Olivier Chantraine	*Un élément perturbateur*
6610. Roy Jacobsen	*Les invisibles*
6611. Ian McEwan	*Dans une coque de noix*
6612. Claire Messud	*La fille qui brûle*
6613. Jean d'Ormesson	*Je dirai malgré tout que cette vie fut belle*
6614. Orhan Pamuk	*Cette chose étrange en moi*
6615. Philippe Sollers	*Centre*
6616. Honoré de Balzac	*Gobseck* et autres récits d'argent
6618. Chimamanda Ngozi Adichie	*Le tremblement* précédé de *Lundi de la semaine dernière*
6619. Elsa Triolet	*Le destin personnel* suivi de *La belle épicière*
6620. Brillat-Savarin	*Dis-moi ce que tu manges, je te dirai ce que tu es*
6621. Lucrèce	*L'esprit et l'âme se tiennent étroitement unis. De la nature, Livre III*
6622. La mère du révérend Jôjin	*Un malheur absolu*
6623. Ron Rash	*Un pied au paradis*
6624. David Fauquemberg	*Bluff*
6625. Cédric Gras	*La mer des Cosmonautes*
6626. Paolo Rumiz	*Le phare, voyage immobile*
6627. Sebastian Barry	*Des jours sans fin*
6628. Olivier Bourdeaut	*Pactum salis*
6629. Collectif	*À la table des diplomates. L'histoire de France*

racontée à travers ses grands repas. 1520-2015

6630. Anna Hope — *La salle de bal*
6631. Violaine Huisman — *Fugitive parce que reine*
6632. Paulette Jiles — *Des nouvelles du monde*
6633. Sayaka Murata — *La fille de la supérette*
6634. Hannah Tinti — *Les douze balles dans la peau de Samuel Hawley*
6635. Marc Dugain — *Ils vont tuer Robert Kennedy*
6636. Collectif — *Voyageurs de la Renaissance. Léon l'Africain, Christophe Colomb, Jean de Léry et les autres*
6637. François-René de Chateaubriand — *Voyage en Amérique*
6638. Christelle Dabos — *La Passe-miroir, Livre III. La mémoire de Babel*
6639. Jean-Paul Didierlaurent — *La fissure*
6640. David Foenkinos — *Vers la beauté*
6641. Christophe Honoré — *Ton père*
6642. Alexis Jenni — *La conquête des îles de la Terre Ferme*
6643. Philippe Krhajac — *Un dieu dans la poitrine*
6644. Eka Kurniawan — *Les belles de Halimunda*
6645. Marie-Hélène Lafon — *Nos vies*
6646. Philip Roth — *Pourquoi écrire ? Du côté de Portnoy – Parlons travail – Explications*
6647. Martin Winckler — *Les Histoires de Franz*
6648. Julie Wolkenstein — *Les vacances*
6649. Naomi Wood — *Mrs Hemingway*
6650. Collectif — *Tous végétariens ! D'Ovide à Ginsberg, petit précis de littérature végétarienne*
6651. Hans Fallada — *Voyous, truands et autres voleurs*
6652. Marina Tsvétaïéva — *La tempête de neige – Une aventure*

6653. Émile Zola	*Le Paradis des chats*
6654. Antoine Hamilton	*Mémoires du comte de Gramont*
6655. Joël Baqué	*La fonte des glaces*
6656. Paul-Henry Bizon	*La louve*
6657. Geneviève Damas	*Patricia*
6658. Marie Darrieussecq	*Notre vie dans les forêts*
6659. Étienne de Montety	*L'amant noir*
6660. Franz-Olivier Giesbert	*Belle d'amour*
6661. Jens Christian Grøndahl	*Quelle n'est pas ma joie*
6662. Thomas Gunzig	*La vie sauvage*
6663. Fabrice Humbert	*Comment vivre en héros ?*
6664. Angela Huth	*Valse-hésitation*
6665. Claudio Magris	*Classé sans suite*
6666. János Székely	*L'enfant du Danube*
6667. Mario Vargas Llosa	*Aux Cinq Rues, Lima*
6668. Alexandre Dumas	*Les Quarante-Cinq*
6669. Jean-Philippe Blondel	*La mise à nu*
6670. Ryôkan	*Ô pruniers en fleur*
6671. Philippe Djian	*À l'aube*
6672. Régis Jauffret	*Microfictions II. 2018*
6673. Maylis de Kerangal	*Un chemin de tables*
6674. Ludmila Oulitskaïa	*L'échelle de Jacob*
6675. Marc Pautrel	*La vie princière*
6676. Jean-Christophe Rufin	*Le suspendu de Conakry. Les énigmes d'Aurel le Consul*
6677. Isabelle Sorente	*180 jours*
6678. Victor Hugo	*Les Contemplations*
6679. Michel de Montaigne	*Des Cannibales / Des coches*
6680. Christian Bobin	*Un bruit de balançoire*
6681. Élisabeth de Fontenay et Alain Finkielkraut	*En terrain miné*
6682. Philippe Forest	*L'oubli*
6683. Nicola Lagioia	*La Féroce*
6684. Javier Marías	*Si rude soit le début*

6685. Javier Marías	*Mauvaise nature.* Nouvelles complètes
6686. Patrick Modiano	*Souvenirs dormants*
6687. Arto Paasilinna	*Un éléphant, ça danse énormément*
6688. Guillaume Poix	*Les fils conducteurs*
6689. Éric Reinhardt	*La chambre des époux*
6690. Éric Reinhardt	*Cendrillon*
6691. Jean-Marie Rouart	*La vérité sur la comtesse Berdaiev*
6692. Jón Kalman Stefánsson	*Ásta*
6693. Corinne Atlan	*Petit éloge des brumes*
6694. Ludmila Oulitskaïa	*La soupe d'orge perlé* et autres nouvelles
6695. Stefan Zweig	*Les Deux Sœurs* précédé d'*Une histoire au crépuscule*
6696. Ésope	*Fables* précédées de la *Vie d'Ésope*
6697. Jack London	*L'Appel de la forêt*
6698. Pierre Assouline	*Retour à Séfarad*
6699. Nathalie Azoulai	*Les spectateurs*
6700. Arno Bertina	*Des châteaux qui brûlent*
6701. Pierre Bordage	*Tout sur le zéro*
6702. Catherine Cusset	*Vie de David Hockney*
6703. Dave Eggers	*Une œuvre déchirante d'un génie renversant*
6704. Nicolas Fargues	*Je ne suis pas une héroïne*
6705. Timothée de Fombelle	*Neverland*
6706. Jérôme Garcin	*Le syndrome de Garcin*
6707. Jonathan Littell	*Les récits de Fata Morgana*
6708. Jonathan Littell	*Une vieille histoire.* Nouvelle version
6709. Herta Müller	*Le renard était déjà le chasseur*
6710. Arundhati Roy	*Le Ministère du Bonheur Suprême*
6711. Baltasar Gracian	*L'Art de vivre avec élégance.*

	Cent maximes de L'Homme de cour
6712. James Baldwin	*L'homme qui meurt*
6713. Pierre Bergounioux	*Le premier mot*
6714. Tahar Ben Jelloun	*La punition*
6715. John Dos Passos	*Le 42e parallèle. U.S.A. I*
6716. John Dos Passos	*1919. U.S.A. II*
6717. John Dos Passos	*La grosse galette. U.S.A. III*
6718. Bruno Fuligni	*Dans les archives inédites du ministère de l'Intérieur. Un siècle de secrets d'État (1870-1945)*
6719. André Gide	*Correspondance. 1888-1951*
6720. Philippe Le Guillou	*La route de la mer*
6721. Philippe Le Guillou	*Le roi dort*
6722. Jean-Noël Pancrazi	*Je voulais leur dire mon amour*
6723. Maria Pourchet	*Champion*
6724. Jean Rolin	*Le traquet kurde*
6725. Pénélope Bagieu	*Culottées Livre II-partie 1*
6726. Pénélope Bagieu	*Culottées Livre II-partie 2*
6727. Marcel Proust	*Vacances de Pâques* et autres chroniques
6728. Jane Austen	*Amour et amitié*
6729. Collectif	*Scènes de lecture. De saint Augustin à Proust*
6730. Christophe Boltanski	*Le guetteur*
6731. Albert Camus et Maria Casarès	*Correspondance. 1944-1959*
6732. Albert Camus et Louis Guilloux	*Correspondance. 1945-1959*
6733. Ousmane Diarra	*La route des clameurs*
6734. Eugène Ébodé	*La transmission*
6735. Éric Fottorino	*Dix-sept ans*
6736. Hélène Gestern	*Un vertige* suivi de *La séparation*
6737. Jean Hatzfeld	*Deux mètres dix*
6738. Philippe Lançon	*Le lambeau*

6739. Zadie Smith — *Swing Time*
6740. Serge Toubiana — *Les bouées jaunes*
6741. C. E. Morgan — *Le sport des rois*
6742. Marguerite Yourcenar — *Les Songes et les Sorts*
6743. Les sœurs Brontë — *Autolouange* et autres poèmes
6744. F. Scott Fitzgerald — *Le diamant gros comme le Ritz*
6745. Nicolas Gogol — *2 nouvelles de Pétersbourg*
6746. Eugène Dabit — *Fauteuils réservés* et autres contes
6747. Jules Verne — *Cinq semaines en ballon*
6748. Henry James — *La Princesse Casamassima*
6749. Claire Castillon — *Ma grande*
6750. Fabrice Caro — *Le discours*
6751. Julian Barnes — *La seule histoire*
6752. Guy Boley — *Quand Dieu boxait en amateur*
6753. Laurence Cossé — *Nuit sur la neige*
6754. Élisabeth de Fontenay — *Gaspard de la nuit*
6755. Elena Ferrante — *L'amour harcelant*
6756. Franz-Olivier Giesbert — *La dernière fois que j'ai rencontré Dieu*
6757. Paul Greveillac — *Maîtres et esclaves*
6758. Stefan Hertmans — *Le cœur converti*
6759. Anaïs LLobet — *Des hommes couleur de ciel*
6760. Juliana Léveillé-Trudel — *Nirliit*
6761. Mathieu Riboulet — *Le corps des anges*
6762. Simone de Beauvoir — *Pyrrhus et Cinéas*
6763. Dōgen — *La présence au monde*
6764. Virginia Woolf — *Un lieu à soi*
6765. Benoît Duteurtre — *En marche !*
6766. François Bégaudeau — *En guerre*
6767. Anne-Laure Bondoux — *L'aube sera grandiose*
6768. Didier Daeninckx — *Artana ! Artana !*
6769. Jachy Durand — *Les recettes de la vie*
6770. Laura Kasischke — *En un monde parfait*
6771. Maylis de Kerangal — *Un monde à portée de main*
6772. Nathalie Kuperman — *Je suis le genre de fille*
6773. Jean-Marie Laclavetine — *Une amie de la famille*

6774. Alice McDermott	*La neuvième heure*
6775. Ota Pavel	*Comment j'ai rencontré les poissons*
6776. Ryoko Sekiguchi	*Nagori. La nostalgie de la saison qui vient de nous quitter*
6777. Philippe Sollers	*Le Nouveau*
6778. Annie Ernaux	*Hôtel Casanova* et autres textes brefs
6779. Victor Hugo	*Les Fleurs*
6780. Collectif	*Notre-Dame des écrivains. Raconter et rêver la cathédrale du Moyen Âge à demain*
6781. Carole Fives	*Tenir jusqu'à l'aube*
6782. Esi Edugyan	*Washington Black*
6783. J.M.G. Le Clézio	*Alma*. À paraître
6784. Emmanuelle Bayamack-Tam	*Arcadie*
6785. Pierre Guyotat	*Idiotie*
6786. François Garde	*Marcher à Kerguelen*. À paraître
6787. Cédric Gras	*Saisons du voyage*. À paraître
6788. Paolo Rumiz	*La légende des montagnes qui naviguent*. À paraître
6789. Jean-Paul Kauffmann	*Venise à double tour*
6790. Kim Leine	*Les prophètes du fjord de l'Éternité*
6791. Jean-Christophe Rufin	*Les sept mariages d'Edgar et Ludmilla*
6792. Boualem Sansal	*Le train d'Erlingen ou La métamorphose de Dieu*
6793. Lou Andreas-Salomé	*Ce qui découle du fait que ce n'est pas la femme qui a tué le père* et autres textes psychanalytiques
6794. Sénèque	*De la vie heureuse* précédé de *De la brièveté de la vie*
6795. Famille Brontë	*Lettres choisies*
6796. Stéphanie Bodet	*À la verticale de soi*

6797.	Guy de Maupassant	*Les Dimanches d'un bourgeois de Paris* et autres nouvelles
6798.	Chimamanda Ngozi Adichie	*Nous sommes tous des féministes* suivi du *Danger de l'histoire unique*
6799.	Antoine Bello	*Scherbius (et moi)*
6800.	David Foenkinos	*Deux sœurs*
6801.	Sophie Chauveau	*Picasso, le Minotaure. 1881-1973*
6802.	Abubakar Adam Ibrahim	*La saison des fleurs de flamme*
6803.	Pierre Jourde	*Le voyage du canapé-lit*
6804.	Karl Ove Knausgaard	*Comme il pleut sur la ville. Mon combat - Livre V*
6805.	Sarah Marty	*Soixante jours*
6806.	Guillaume Meurice	*Cosme*
6807.	Mona Ozouf	*L'autre George. À la rencontre de l'autre George Eliot*
6808.	Laurine Roux	*Une immense sensation de calme*
6809.	Roberto Saviano	*Piranhas*
6810.	Roberto Saviano	*Baiser féroce*
6811.	Patti Smith	*Dévotion*
6812.	Ray Bradbury	*La fusée* et autres nouvelles
6813.	Albert Cossery	*Les affamés ne rêvent que de pain*
6814.	Georges Rodenbach	*Bruges-la-Morte*
6815.	Margaret Mitchell	*Autant en emporte le vent I*
6816.	Margaret Mitchell	*Autant en emporte le vent II*
6817.	George Eliot	*Felix Holt, le radical.* À paraître
6818.	Goethe	*Les Années de voyage de Wilhelm Meister*
6819.	Meryem Alaoui	*La vérité sort de la bouche du cheval*
6820.	Unamuno	*Contes*
6821.	Leïla Bouherrafa	*La dédicace*. À paraître

6822. Philippe Djian	*Les inéquitables*
6823. Carlos Fuentes	*La frontière de verre.* Roman en neuf récits
6824. Carlos Fuentes	*Les années avec Laura Díaz.* Nouvelle édition augmentée
6825. Paula Jacques	*Plutôt la fin du monde qu'une écorchure à mon doigt.* À paraître
6826. Pascal Quignard	*L'enfant d'Ingolstadt. Dernier royaume X*
6827. Raphaël Rupert	*Anatomie de l'amant de ma femme*
6828. Bernhard Schlink	*Olga*
6829. Marie Sizun	*Les sœurs aux yeux bleus*
6830. Graham Swift	*De l'Angleterre et des Anglais*
6831. Alexandre Dumas	*Le Comte de Monte-Cristo*
6832. Villon	*Œuvres complètes*
6833. Vénus Khoury-Ghata	*Marina Tsvétaïéva, mourir à Elabouga*
6834. Élisa Shua Dusapin	*Les billes du Pachinko*
6835. Yannick Haenel	*La solitude Caravage*
6836. Alexis Jenni	*Féroces infirmes*
6837. Isabelle Mayault	*Une longue nuit mexicaine*
6838. Scholastique Mukasonga	*Un si beau diplôme !*
6839. Jean d'Ormesson	*Et moi, je vis toujours*
6840. Orhan Pamuk	*La femme aux cheveux roux*
6841. Joseph Ponthus	*À la ligne. Feuillets d'usine*
6842. Ron Rash	*Un silence brutal*
6843. Ron Rash	*Serena*
6844. Bénédicte Belpois	*Suiza*
6845. Erri De Luca	*Le tour de l'oie*
6846. Arthur H	*Fugues*
6847. Francesca Melandri	*Tous, sauf moi*
6848. Eshkol Nevo	*Trois étages*
6849. Daniel Pennac	*Mon frère*
6850. Maria Pourchet	*Les impatients*